朝日新書
Asahi Shinsho 856

リスクを生きる

内田　樹
岩田健太郎

朝日新聞出版

はじめに

岩田健太郎

いつのことだったかは覚えていないが、内田樹先生があるとき、

「ミリオンダラー・ベイビーは、あしたのジョーですね」

とおっしゃって「はあ?」となったことがある。

「ミリオンダラー・ベイビー」はクリント・イーストウッド監督で、イーストウッドとヒラリー・スワンクが主演の女子ボクシングをテーマとする映画だ。「あしたのジョー」は、「あの」「あしたのジョー」である。どちらもボクシングがテーマとはいえ、両者に共通点は見出し難い(少なくとも、僕には)。

「こういうのが、フッサールの〈本質直観〉なんかいな？」

と門外漢は素朴に考えちゃったりするのだが、あまりテキトーな素人談義を重ねているとボロが出るのでこのへんで止めておく。

およそオタクは勤勉な学習者だ。ディテールにこだわる。映画オタクもたくさんいて、イーストウッドの映画の蘊蓄（うんちく）を何時間でも語ることができるディテール的知識をもった映画オタクは相当数いることと思う。同様に「あしたのジョー」の全セリフ、全コマを正確に再現できるくらいのオタクも少なからずいるのではないか。

しかし、そのような博覧強記の「オタク」たちの何人が、「ミリオンダラー・ベイビー」と「あしたのジョー」に本質的なアナロジーを見出すことができるだろうか。おそらく、ほとんどの人は両者を直接的に比較することなんて思いもつかないだろうし、たとえ仮に思いついても「両者の細かな違い」ばかりを細かく、しつこく指摘するしかできないのではないだろうか。

それができるんだから、本当に内田先生はすごいと思う。

折口信夫は人間の知性に「別化性能」と「類化性能」があると指摘したそうだが、個人的な意見を申せば、「別化性能」――AとBのここが違う、あそこが違う、と指摘する能力――よりも「類化性能」――AとBってこのへんはおんなじじゃね？　と指摘する能力――のほうがより高度な知性を要すると思っている。「ミリオンダラー・ベイビー」と「あしたのジョー」の話を聞いて、僕はすぐにこの「類化性能」の話を思い出したのだった。

「類化性能」は、一見異なるバラバラに見える現象の羅列に、共通した「構造」を見出す能力、と言い換えてもよいのではないか。これはなかなかに難しい作業なのである。

僕ら、感染症屋が日々やっているのも、この「構造」を見出すための努力である。もっとも、僕らには「本質直観」みたいな強烈な武器はないので、実際にやっていることはとてもとても泥臭いものとなる。

本来的に、感染症屋はほとんど「オタク」体質の持ち主だ。*Proteus mirabilis*と*P.*

*vulgaris*の違いとか、*Scedosporium apiospermum*と*S. prolificans*の違いとか、*Streptococcus gallolyticus subsp. gallolyticus*と*S. gallolyticus subsp. pasteurianus*の違いとか、門外漢が聞いたらウンザリするような細かーいところにこだわり抜いて、そうした微細な違いを追求していく超マニアックなオタク集団である。

ただし、このようなオタクな性向を発動させているだけでは、いつまでたっても「感染症のマニア」「感染症オタク」を卒業して、「感染症のプロ」にはなれない。

マニアからプロになるには、ミクロスコピックでヘアースプリティングな「虫の目」だけではなく、高所から全体世界を俯瞰できる「鳥の目」も必要だ。細かい違いをあえて捨象して、本質的に重要なポイント、本質を摑(つか)み取る「類化性能」も必要だ。たくさんの知識や技術を付けたあとで、

「これとあれは、大差ない」

と大胆に断ずることができないといけない。

ただし、繰り返すが、これは「たくさんの知識や技術を付けた」あとでなければ、こ

うした本質を摑み取ることはできない。少なくとも僕のような凡人には無理だ。これは「本質直観」というよりも、

本質の抽出

とも呼ぶべき作業だ。フッサールに詳しい人は怒らないでくださいね。あくまで僕の主観的な理解です。

ここまで丁寧で、面倒くさい作業をした上で、例えば、

コロナを風邪とみなして良い……条件とは

といった命題の検討が可能になる。「コロナを風邪とみなして良い」ではない。「コロナを風邪とみなして良い、条件」である。

条件は複雑である。患者の年齢、ワクチンの接種レベル、患者の基礎疾患、社会の感染対策……多種多様な条件を加味した上で、特定の条件下での特定の「みなし」、特定

の「本質の抽出」が可能になる。

そのような「本質の抽出」は、例えば、

条件A、B、C、D、Eを満たした場合に「コロナ診療を風邪のようにみなす」こと

も可能である

といった、類化性能的言明も可能になる。それは、例えば、若くて、元気で、周辺への感染が社会的に問題にならない職業で（医療福祉関係者じゃない、とか）、保健所その他にいざというとき連絡できる家庭環境や連絡方法の保持ができていて、かつ社会でオミクロンのようなウイルスが猛威をふるい、重症者選定のために人的、物的リソースが極めて厳しい状況にあり、若年者への検査や診療を行うことが他のリスクの高い方への診療結果に悪影響を与えかねない場合……なんてウネウネした条件を満たした場合、

大胆にコロナを風邪のようなものとみなし、検査もせず、治療薬も提供せず、診療すら受けずに自宅で待機していただく

という選択肢は可能になる。これは、

コロナなんて風邪みたいなもんだよ。ほっときな

という全く勉強を経ずに条件も加味検討せずに「シンプリスティックな断言口調で」論じてしまう、自称感染症に詳しい人がテレビで言いそうな言明とは全く似て非なるものなのである。前者は複雑な現象からシンプルな結論を抽出し、後者は単に複雑な現象を無視してシンプリスティックに、（あまりにシンプリスティックに！）断定かましているだけなのだ。シンプルに考えることと、シンプリスティックに考えることは天と地ほどの差があるのだが、両者は門外漢には同じように見えるのだ。

シンプリスティックに断定口調で喋るやり方は、例えばテレビ番組のコメンテーター

やＹｏｕＴｕｂｅのインフルエンサーの喋り方と同じである。プロはたとえシンプルに喋っても、断定口調は回避しようとする（条件を加味しようとする）から、「絵的に」切れ味が悪い口調になる。日本のテレビで「自称感染症に詳しい人」のほうが感染症のプロよりも重宝されるのは当たり前だ。

まあ、このようなことをいつも考えているのだけど、こればかりでは、だんだん、気分が鬱々（うつうつ）としてくるのは当たり前だ。なので、本書作成のために数週間に一回のペースで行われた内田樹先生とのお話は、僕にとってはとても楽しく、また気持ちの安寧が得られる素晴らしい体験だった。医学部とか大学病院とかはストックフレーズばかりが連呼される場所で、皆、「同じ話」しかしないことが多いのだ。たまには「こちらが想像したこともない言葉」とか聞いてみたいではないか。

かつて聞いたこともない言葉を快楽と感じるか、不安と感じるか。けっこう、医学部・大学病院界隈は「聞いたことがない言葉」を不安に感じる系が多いように思う。２

008年に神戸大学に赴任してから、僕はほぼ毎日「日本の大学病院の常識、医学の非常識」だと言ってその間違いを指摘し続けてきたので、さぞたくさんの人達を不安に（そして不快に）してきたことだろう。そういえば、クルーズ船内の官僚が不愉快になったのもそのためだろう（たぶん）。

本当は、「自分が聞いたこともない言葉」にワクワクしたほうが、ずっと楽しいし、自らも成長できるのに……まあ、これって医学に限ったことじゃないのかもしれないけれど。

皆様が、本書を読んで楽しい気分になっていただけることを心からお祈りしています。

2022年1月

リスクを生きる　目次

第2章 査定といじめの相似構造

第3章 不条理を生きる

2021年12月16日、凱風館にて 123

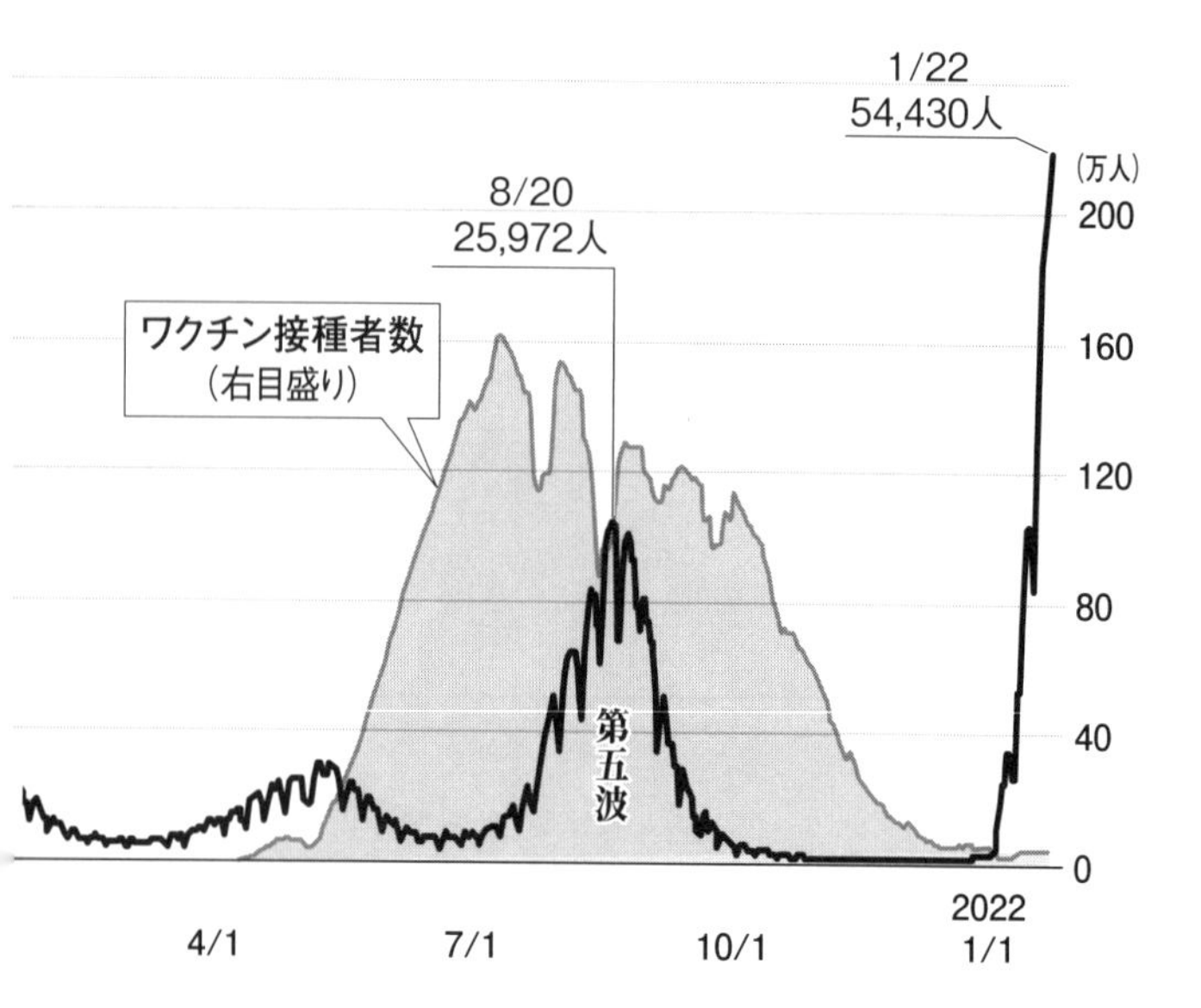

1/22
54,430人
8/20
25,972人
ワクチン接種者数
(右目盛り)
第五波
(万人)
200
160
120
80
40
0
4/1
7/1
10/1
2022
1/1

新型コロナウイルス
「全国の感染者数」と「全国のワクチン接種者数」の推移
（2020年1月～2022年1月）

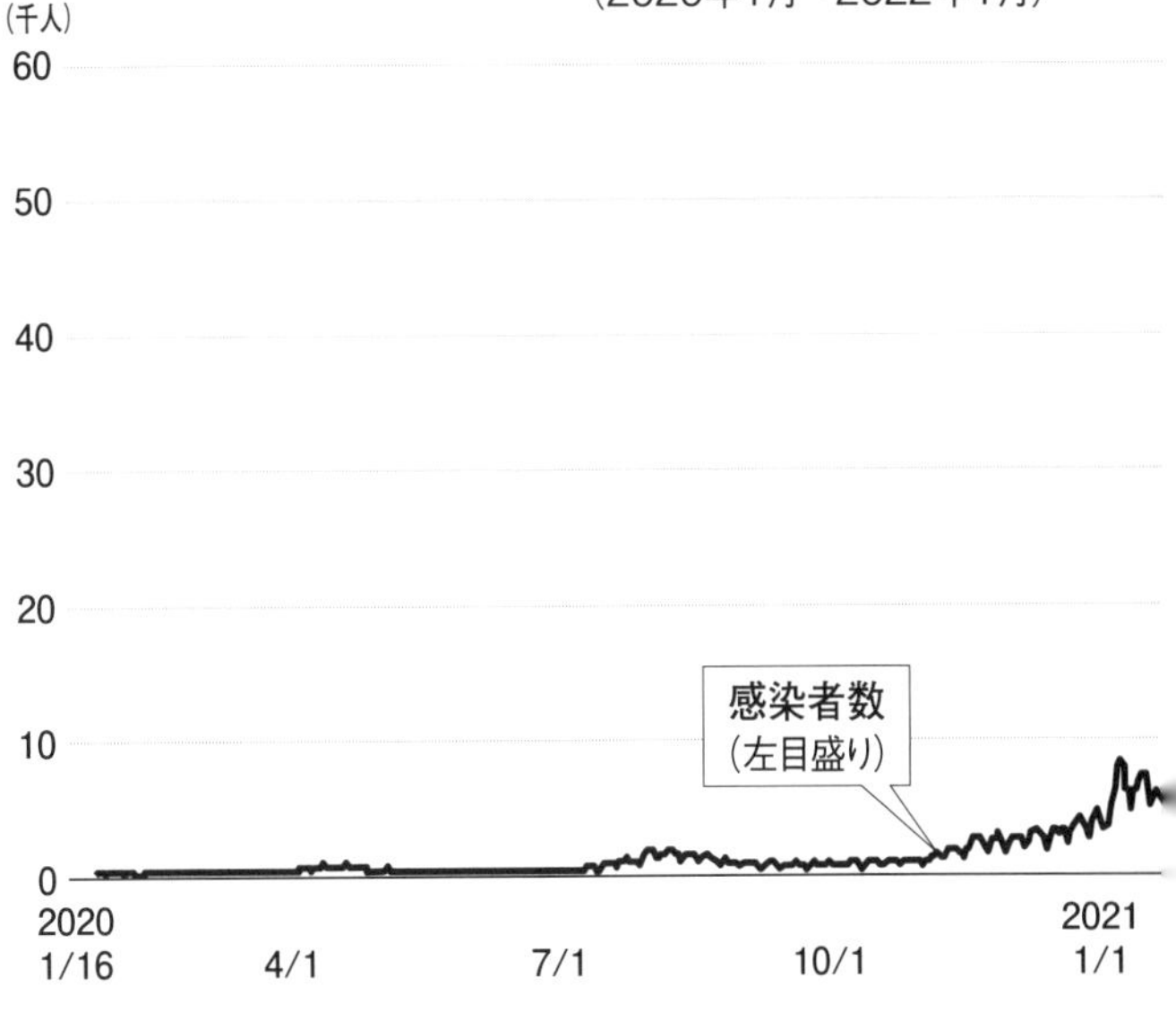

2022年１月22日、全国の新型コロナウイルス感染者数が初めて５万人を超える。（折れ線グラフは各日と過去６日間の７日間平均。日ごとのばらつきをならして増減傾向を示したもの。感染者数は朝日新聞が集計。ワクチン接種者数は内閣官房IT総合戦略室の公表データをもとに作成）

構成　大越　裕
写真　水野真澄（著者）
朝日新聞社（特記以外）
図版作成　谷口正孝

第1章 感染症が衝く社会の急所

2021年10月21日、凱風館にて

「わかっている」人ほどわかっていない感染症

内田 岩田先生、ご無沙汰しています。前著『コロナと生きる』（朝日新書）は、感染症対策の最前線にいる岩田健太郎先生に、僕が「素人目線」の質問をぶつけるという趣向でした。今回は、新型コロナウイルスのパンデミックが二年に及ぶなかで、日本と世界の動向について話し合いたいと思っています。どんな話に転がってゆくのか、とても楽しみです。

岩田 僕も楽しみです。よろしくお願いいたします。

内田 生活で変わったことはいくつもありますけれど、移動が減ったことがまず挙げられますが、岩田先生はいかがですか？

岩田 だいぶ移動は減りましたね。以前は東京によく出張していましたが、コロナ禍になってからの二年は、ほぼまったく東京には行っていません。

内田 ほぼまったくですか。

岩田　はい、たった一度だけです。たまたま大学時の同級生が勤める病院で院内感染が起こったんです。「感染対策を手伝ってくれないか」と頼まれて行ったのが最後ですね。

内田　いつですか？

岩田　２０２０年の第三波ぐらいのときです。その頃はあちこちの東京の病院でクラスターが起きて、収拾がつかなくなっていました。手伝いに行った病院も、「自分はＸＸ大でＸＸＸを研究して博士号を取ったから、感染症対策は大丈夫」と豪語していた病院長が対策をしていたんですが、実際には院内感染が起きてしまった。

内田　現にクラスターが起こったということは、その方、感染症についてあまりよく知らなかったということになるのでは？

岩田　その通りです。伝統的に、日本の医学部の博士課程では基礎医学の研究を行うことがほとんどで、件(くだん)の病院長もそうでした。で、基礎医学の研究経験は病院内での感染症対策とはかなりかけ離れていて、まあ役に立たない。それが役に立つ、と思っている時点で、この病院長は失礼ながら「わかってないな」と思いました。

とはいえ、それがコロナなんです。でも、「僕は感染症のことがわかっている」と言う医者で、ほんとうにわかっている人って少ないんですよ。例えば、**基礎医学領域でウイルスを研究したことがあるから感染対策ができるって、喩えて言うなら「重油からガソリンを精製する方法を知ってるから、俺は車が運転できる」みたいな言い分で、本来、ぜんぜん次元が異なる話**なんです。それで感染対策が専門の僕がいろんなところで対策を提言するんですが、なぜかどこに行っても憎まれ口を言われて追い返されてしまうという……。

内田　岩田先生はどこに行っても、そういう宿命の人なんですね（笑）。僕は大学の理事会が月一回あるので、定期的に東京に行っていました。一回だけ感染爆発時には、オンラインで参加したんですけれど、画像も悪く、音声もよく聴き取れなくて、意見を言う機会がうまく見つからなくて、これじゃ理事の役が果たせないなと思って、その次の月からは大学まで行きました。

岩田　そうですか。

内田　僕は二人しかいない学外理事のうちの一人なので、「医者たちにとっては常識だけれど、世間から見ると非常識なこと」に、「ちょっと、よろしいですか？」と横から水を差すのが仕事なんです。

岩田　大切な役目だと思いますね。

急激な感染収束の理由とは

内田　岩田先生にぜひお訊きしたいことがあるんです。先生も先日ツイッターで書かれていましたが、コロナの第五波は、日本全国で北は北海道から南は沖縄まで、ほとんど同時に収束しましたよね。

岩田　はい、はい、その通りです。

内田　いったい、なぜなんですか？

岩田　はっきり言って、よくわからないんです。

内田　わからないんですか？　いいなあ、その答え（笑）。なるほど、医師も専門家も、皆さん「よくわからない」と仰っていますね。

岩田　ただし、除外できる仮説はいくつかあるんです。「これだ！」という要因を断定するのは難しいんですが、「これじゃない」というのは割と簡単に言えます。

例えば、一部の人が言っている「ウイルスが急に弱毒化した」という説はデタラメです。その逆に、ウイルスが変異して感染力が高まり、急速に広がるというのはあり得るんです。デルタ株がそうですね。実際にデルタ株は日本に入ってきた途端に広がって、日本中でワァーッと感染者が増えました。第五波が大きくなった理由がそれです。空間的、時間的に一斉に広がって、四十七都道府県の自治体で同時多発的に患者が増えました。

しかし全国に広がったウイルスが、「同時に弱毒化する」ということは考えられません。ウイルスの弱毒化というのは独立事象ですから、それが四十七都道府県で同時に起きることは、まず確率的にあり得ない。ましてやそれが日本だけで起きて、他の国では起きないなんていうのはあり得ません。だから、ウイルスの弱毒化は関係ないと思いま

2021年6月8日、新型コロナウイルスワクチンの大規模接種会場が一時設置され、警視庁や東京消防庁職員への接種が行われた築地市場跡地。

す。

「気候変動が原因ではないか」ともよく言われますが、それも違うと思います。日本は南北に長い国です。北海道と沖縄では、同じ時期でも気温や湿度はまったく違います。全国で同時に起こった現象を気候変動で説明するのには、いささか無理がある。

現時点で考えられる要因の一つは、ワクチンです。日本は4月の時点ではワクチン接種者が1%以下でしたが、その後、先進国のなかでも最速のペースでワクチン接種を進め、10月末の時点で人口の約八割がワクチンの二回接種を終える見込みです。ですが、ワクチンだけでは感染者の急減は説明できないんです。おそらくワクチンは感染者を減らした一要素ではありますが、感染者が増え続けていた7〜8月のときも、ワクチンを打ち終わった人は右肩上がりでした。ですから、ワクチンだけですべて説明するのは無理だと思われます。

僕が考えているもう一つの仮説は、「オリンピックが終わったから」です。一番シンプルにわかりやすく説明すると、**患者の急減と同時に全国で一斉に起きた事象って、「テレビからオリンピックに関する報道が消えたこと」**なんですね。

内田 なるほど。

岩田 オリンピックが報道されなくなって、その代わりに「コロナ患者が急増しています」というニュースだけが独占的に報道されました。それまでは毎朝毎晩のニュースでコロナの話題が出て、「さあ、次はオリンピックです！」っていう「両者の併存」の流れでしたよね。司会のタレントさんやスポーツ選手が出てきて、テーマ曲が流れて、オリンピックムードを盛り上げる報道を全テレビ局がやっていた。それが一斉に北海道から沖縄までなくなったわけです。

テレビを見ていた視聴者の人たちも、「オリンピック期間中に患者がものすごく増えたようだぞ」「自分たちも罹ったら入院できない」と一気に不安になったんじゃないか。それでみんな自衛策に走り、外出や飲食を伴う会合を減らした、というのが僕の仮説です。実際に今までコロナ感染の波は、第一波のときから「増えたと報道されたらしばらくして減る」がずっと繰り返されてきました。「コロナ患者が増えている」というアナウンスが、抑制効果につながることは、政府の感染対策チームの中心にいた西浦博さんも指摘しています。とくに今回の第五波は、今までで最高に高い波でしたから、「さすがにやばいよね」とみんなが思ったことが一つのきっかけになったと思います。

ただし、この仮説を証明するのはなかなか難しい。解析の仕方を工夫すれば可能ではあるのですが、時間がかかります。僕は今、アルファ株の一つ前の変異株が神戸の感染状況に与えた影響を調べていて、デルタ株が起こした第五波については解析ができていないんですが、そんな仮説を個人的には持っているところです。

内田　よくわかりました。それにしても、こんなに急激に患者数が減少したのには驚きました。

岩田　一気にコロナの感染者数が下降する現象は、実は他の国でも何度か起きているんです。感染が爆発したインドやブラジルでも、あるときを境に急減していますし、一時のイギリスでも見られました。それらの国の状況を見ても、やはりワクチンが一つの要因になっているのはまず間違いありません。ワクチンに何かしらのプラスアルファが重なって、下がっていると思われます。

イギリスの場合はワクチンと同時にロックダウンを行ったのが効果を上げました。ブラジルとインドの感染者が減った理由については、ワクチンの作用もありますが、自然感染があまりにも多すぎて一種の集団免疫ができあがったのではないか、という仮説もありますね。インドのある地域では、住民の約八割がコロナの抗体を持っているところもあるそうです。山火事が広がりすぎて、燃えるものがなくなったので鎮火した、という状態ですね。ただ、日本の場合はそこまで感染者が増えていないので、インドの現象

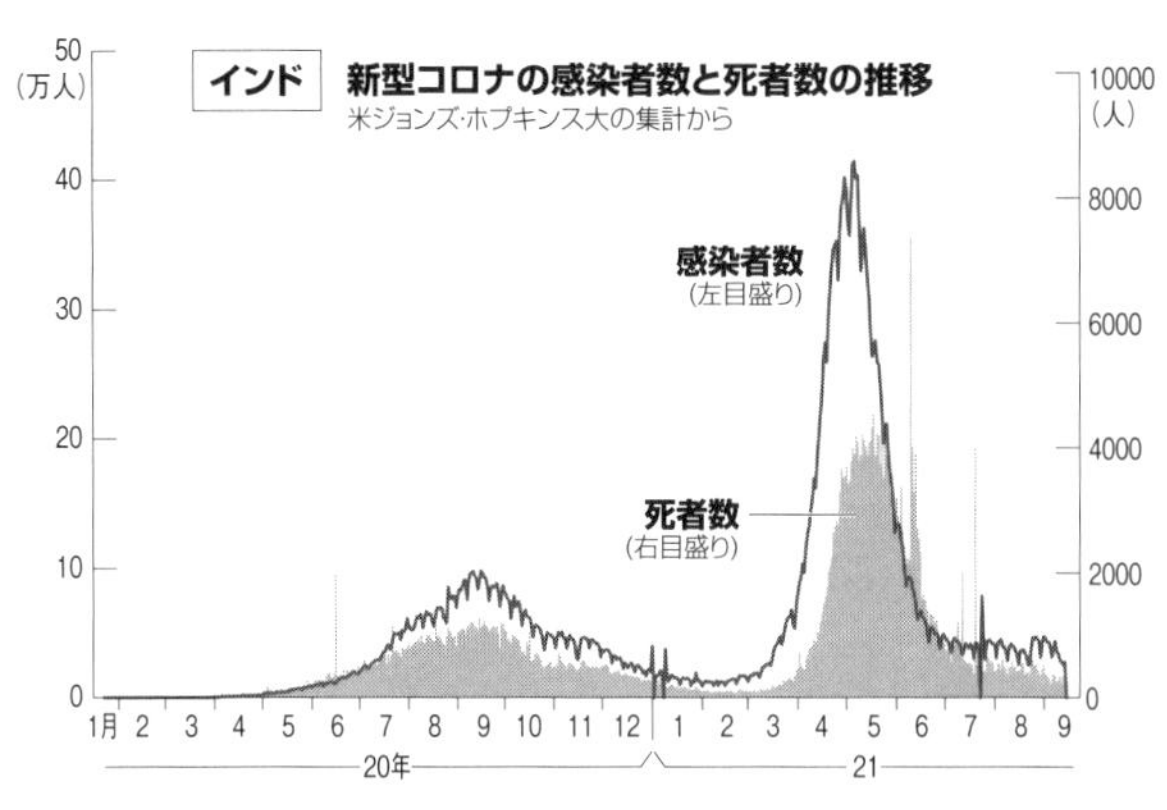

2021年4～5月に新型コロナウイルスの感染爆発が起こったインドは、6月以降感染者数が大幅に減り、通常の生活を取り戻す。明確な要因は不明とされている。

とはまた異なるわけですが。

勝者が総取りする「東京的なゲーム」

内田　科学者がある現象について率直に「わからない」と言うことって、とてもたいせつだと思います。もう五回にわたって感染の拡大と収束が繰り返されているわけですけれども、未だにそのメカニズムが完全にはわかっていない。「わからない」なら「わからない」でいいと思うんです。「わからない」と言っている限り、感染が拡大するリスクはそれなりに抑制できる。逆に「わかった。これが原因だ」と断定してしまうと、それ以外のリスクに対しての警戒が解除されてしまう。どうして感染が広がったり、収まったりするのかは「わからない」けれども、どうすれば感染が抑制できるかは「わかる」というのでいいと思うんです。

アルベール・カミュの『ペスト』(1947年)でも、似たようなエピソードがあるんです。患者が出始めたときに、医者たちが集まって、これはペストかどうか議論をする場面があります。ペストだと発表すると市民がパニックを起こすかもしれない。でも、患者たちの症状を見る限りペストの疑いが濃い。どう発表しようかあれこれ議論しているときに、主人公の医師リウーはできる限りの防疫措置をただちに取ることを主張します。それに対して他の医者が「君はこれがペストだと思っているのかね?」と質問する。するとリウーは「問いの立て方がまずい」と言います。「問題は言葉ではない。時間が問題なのだ」。これがたぶん医師の態度としては適切なのだと思います。病名をつけることよりも、確実に有効であることがわかっている手立てをすぐに取ることを優先する。

だから、僕もこれまで通りにマスクをする、こまめに手指消毒をする、不要な外出を控えるなどの日常的な感染対策を続けるつもりです。とりあえず、それが有効であることはわかっているんですから。

岩田　そうですね。実は僕は、大阪ですらコロナ禍以降は片手で数えるぐらいしか行ってないんです。

内田　ずいぶん徹底していますね。僕は昨日、大阪の市立高校に行って、生徒二百五十人の前で対面授業をしてきちゃいましたけど……。

岩田　授業や会議もリモートでできるとわかりましたから、その場に行かなければならない必然性がほとんど消えてしまったんですよね。僕は「対面とリモート、どちらがいいですか」と聞かれたら、即答で「リモートがいいです」と言っています。

内田　僕もここしばらくはリモートが主になってます。インタビューとか対談なんかはもうほとんどオンラインです。でも、昨日の授業はちょっと事情があったんです。大阪の市立高校はいろいろな部署の府市統合の一環で、来年3月で廃校になるんです。だから、僕の講演は消える大阪市立高校の「さよなら記念講演」だったんです。そこの国語の先生が、神戸女学院の大学院に通っていた人で、僕のゼミにも出ていた方だったんです。大阪は都構想は頓挫（とんざ）しましたけれど、大阪市立の公的機関が次々と消えていて、事実上の府市統合は進んでいる。大阪市立の高校は全部来春に廃校になるんだそうです。

岩田　え！　そうなんですか。

内田　市立高は府立高になります。現時点で募集定員を満たしていない高校は、他の学校と統合される。僕が講演に行った高校は、市立三校が一つになって、新しい府立高校になるそうです。大阪の教育行政はやることが手荒ですよ。

岩田　驚きますね。

内田　市立高校三校が統合されて一つになると、高校二つ分の市有地が空き地になります。たぶんその土地を民間に払い下げるか何かして、金儲けしようということなんじゃないですか。

岩田　それと同じことを大阪では医療行政でもやりました。コロナ禍以前に、保健所や病院を統廃合して数を減らし、「効率的になった」と。ですがそれは、コロナの襲来で大きなしっぺ返しを受けることになってしまった。

内田　本来医療とか教育のような事業はビジネスの語法で語るべきものじゃないんです。医療や教育は「持ち出し」が当然なんです。それで金を儲けろというのは無理なんです。でも「無理です」と言っても、潰して跡地を売れば「儲かる」じゃないかという人たちには通じない。

市立の施設って、割とアクセスの良い場所にあって、面積も広いですから、いい値で売れる。新自由主義的な自治体では、公立施設の統廃合がこれからどんどん進むんじゃないですか。今月末の衆院選でも、維新の会が現在の十一議席を三倍以上に増やすだろうという予測ですね。

岩田　兵庫県内でも人気があります。

内田　僕の周りには維新の支持者が全然いないので、維新を応援する人たちの考え方が正直よくわからないんです。でも、僕にはどうも維新は「東京的なゲーム」をしたがっているんじゃないかという気がするんです。

東京って、日本の都道府県のなかで唯一人口が増え続けている例外的な自治体です。だから、東京では人間が「使い捨て」できる。人を狭いところに押し込めて、競争させて、勝者が総取りして、敗者には何もやらないで叩き出すというような手荒な競争ができるのは、人口が増え続けている場合に限られるんです。そして、東京はそれができる唯一の自治体なんです。

でも、この「東京的」なやり方は人口減の地域では適用できない。**「競争敗者はただちに退場せよ」という非情な言い分が可能なのは、負けても負けても後から後から競争に参加するプレイヤーがやってくることがわかっているから**です。敗者の備給がいくらでもできる。だから、「勝者の総取り」が許される。ギャンブルがそうでしょう。玄人だけが集まっても、賭場は立たない。一攫千金(いっかくせんきん)を夢見る素人がへそくり握りしめてふらふら迷い込んで来るから、そいつらからむしることでかろうじて賭場が立つ。今の日本の人口動態を見る限り、「へそくり握りしめて負けるやつが後から後からやって来る」というようなことが期待できるのは東京だけなんです。大阪や神戸ではもうそんな手荒なゲームはできない。

もともと大阪は「困ってる人はみんなで面倒見たらな」という手触りの温かい風土だったはずなんです。「敗者にも一掬（いっきく）の涙を注ぐ」という土地柄だったと思うんです。だから、そのような情の厚い土地で「社会的弱者は公的支援を当てにすべきではない」という新自由主義イデオロギーが支持されるという現象の意味が僕にはよくわからないんです。唯一思いついたのが、この人たちは「東京じゃないけど、東京みたいにふるまいたい」という欲望に駆動されているんじゃないかということです。東京の真似をしたいのだとしたら、わかる。でも、無理なんです。大阪は中心にはかろうじてまだ人が集まってますけれど、周辺はどんどん人口が減っているんですから。

経済成長の前提条件とは

岩田　僕は以前、アフリカのシエラレオネという国のフリータウンという首都で働いていたんですが、そこでも田舎の過疎化が問題になっていました。年を追うごとに、人口が首都に集中していくわけです。中国もそうですよね、上海や北京にどんどん人が吸い寄せられていく。

内田　そうです。

岩田　ある意味、それは途上国が発展する過程で当然の現象ともされていました。つまり、田舎は非常に貧しいままだけれど、都市部が金を生み出せば、それがやがて周辺部に滴り落ちて国全体が豊かになる、という経済観です。日本では、これに似た経済観が安倍政権時代に謳歌されましたよね。「トリクルダウン」と呼ばれた概念ですが、日本だけでなく、中国などにも共通するものを感じます。

内田　実際にはどこでもトリクルダウンなんか起きなかったんですけどね。

岩田　確かに都市部が豊かになっても、田舎は豊かになっていません。でも、中国はこの二十年で驚異的な成長を成し遂げたわけで、都市部に人を集中させるのは短期的な経済発展の手法としては好都合なのかもしれません。

内田　地方を過疎化して、都市部に人口を集中させるというのは、資本主義にとっては当然のことなんです。マルクスが『資本論』（1867年）で書いている通り、「資本の原初的蓄積」というのは、実際にはただ同じ国の中に「人口が過密な地域」と「人口が過疎な地域」を作り出しただけなんです。

資本家が労働者の雇用条件を切り下げるためには「お前の替えなんかいくらでもいる」と言えることが必要です。だから「どんな劣悪な雇用条件でも働きたがっている人間」が求人以上に存在する環境を作り出す。

マルクスが観察した19世紀英国における「囲い込み」というのは、要するにそういうことなんです。意図的に人口の不均衡を作り出した。農村労働者たちを先祖伝来の土地から引き剝がして、農地を牧羊地にした。牧羊は農業に比べてはるかに少ない人数で行うものですから、牧羊地は必然的に人が減って、過疎化する。農地を追われた農民たちは生業（なりわい）のないところに移住させられ、過密化する。過密化する土地と過疎化する土地を人為的に作り出すという操作そのものは何ら価値を生み出していません。にもかかわらず、この人口の不均衡が錬金術のように働いて、資本の原初的蓄積が果たされた。

でも、そんな手荒なことができたのは、当時の英国が人口の急増局面にあったからです。19世紀百年間だけで英国は人口が三倍に増えました。文字通り「お前の替えなんかいくらでもいる」という状態だった。

資本主義の前提条件は「人口の不均衡」です。それが可能になるためには、人口は増え続けていなければならない。日本の場合では、かつてのベビーブームが高度経済成長をもたらしましたし、中国も「一人っ子政策」を三十五年間も推進しなければならないほどの人口過剰だった。伸び盛りの国には、必ずそういう背景があるんです。

岩田　そうですね。

内田　中国の経済発展は沿海部に過密地を、内陸部に過疎地を意図的に作り出す大規模な「囲い込み」によって可能になったのだと思います。都市部では市民たちは「勝者が総取りし、敗者は路頭に迷う」という苛烈な生き残り競争に投じられた。でも、そんなことができたのは、農村から三億人もの「農民工」が後から後から都市部に流入してきたからです。そうやって都市部においては「いくらでも労働者の替えがいる」という状態が作り出された。

でも、中国の人口はこの後２０２７年でピークアウトして、それから一気に年間五百万人ペースでの人口減局面に入ると言われています。生産年齢人口が激減し、高齢者ばかり増える。だから、もうこれまでのようなかたちで資本主義が発展することはできなくなるだろうと僕は思っています。

日本の場合もこれから急激な人口減が進みますけれども、都市部が過密、地方が過疎という人口増を前提にしたシステムが放置されています。

岩田　今の東京でいうと、20代から30代前半の若い世代が貧しくなってますよね。月々の給料の手取りが二十万円に満たないのに、ちょっとした部屋を借りると家賃だけで七万〜八万円飛んでいってしまう。

内田　家賃で給料の四割を取られたら、生活は成り立たないですよ。貧困度を測る指標によく使われるのは収入に占める食費の割合を示すエンゲル係数ですが、日本の場合はむしろ「住居費係数」のほうが貧困度のシグナルとしては有効かもしれません。

東京一極集中の心理

岩田　それでも多くの若者が東京に集まってくるというのは、何が魅力なんですかね。

内田　僕もそこが疑問なんです。数年前に地方移住をテーマにした『ローカリズム宣言』（デコ）という本を書きました。「都市を離れて地方に移住する人たち」を素材にした連載で、二年ほど続けましたが、最後に行われたインタビューで、「連載では内田さんはずっと地方移住を訴えてきましたけれど、その間、東京の人口はむしろ増え続けています」と編集者に言われました。「なぜ、若い人たちはあえて生活が苦しいことがわかっている東京に集まってくるんでしょうか？」と訊ねられて、困り果てた末に、僕が仮説として思いついたのが、「もしかすると、今の若い人たちは、具体的な幸福や充実感よりも、精密なランキングを求めているんじゃないか」というアイデアでした。

岩田　ランキングですか。

内田　ええ。**自分の専門領域で、「果たして、自分は日本全体で何位ぐらいなのか？」**

を正確に知りたいということです。自分の「人生の偏差値」を誰かに算出してもらって、それを教えてほしいんです。きちんと「格付け」してもらえれば、自分は将来的にどの程度の社会的地位をめざせばいいのか、どの程度の野心や夢を持つことが許されるのか、どのレベルの配偶者を期待していいのか……それがわかると思っている。比較対象がいないまま「お前は村一番の秀才だ」と言われるよりも、都会に出て「あんた、一万番だよ」と冷たく評価されたほうが安心できるんです。自分が何ものであるかということを、どのような人生設計を思い描けばいいのか、それを一刻も早く知りたい。そういう欲求が若い人たちはなんだかやたらに強いような気がするんです。

岩田　なるほど。ランキングされるのであれば、低いランクでもいいわけですか。

内田　そうです。精密で正確なランキングを知りたいみたいです。前の対談でも日本の仏文学研究の衰退について話しましたけれど、それは、若い研究者たちが「精密な格付け」を求めて、研究者が他にたくさんいる分野に集中してしまったからだと僕は思っています。

岩田　そのお話はよく覚えています。

内田　19世紀文学、それもプルーストとフローベールとマラルメ研究に若い研究者が集まってしまったのは、その三人については、日本国内に世界的な権威がいるからだと思います。だから、論文を書いても、学会発表しても、先行研究と照らし合わせた精密な格付けが得られる。学会内で高い格付けが得られれば、大学の専任ポストが手に入る。格付けが低ければ、研究者になるのを諦めるか、生涯非常勤でも我慢する。そういう考え方を「合理的」だと考える人たちが増えてきた。だから、「みんながやっていることを、みんなよりうまくやる」競争になってしまった。「誰も研究していないこと」は比較項がないせいでゼロ査定されるリスクがある。確かにそのおかげで特定の分野では世界的レベルの研究が出てきましたけれども、それは専門家による精密な格付けをめざしてなされた研究であって、日本の中高生に読まれることなんかはじめから想定していない。でも、「フランス文学っておもしろそうだな。フランス語ができて本が読めると楽しそうだな」と思ってくれる中高生が毎年何百人か出てきてくれないと、仏文は持たないんですよ。仏文に来たがる高校生が減ってしまったら、「なんだ、じゃあ、仏文学科なんか要らないじゃないか」という話になる。

皮肉な話ですけれども、研究者たちが学会内部的に精密な格付けを求めるようになるにつれて、仏文研究に対する社会的な「ニーズ」が減り、気がついたら、日本の大学から仏文科がなくなってしまった。もともと「大学教員のポスト」を得るために始めたゲームのせいで、大学教員のポストそのものがなくなってしまった。

それと同じようなことがいろいろな領域で起きているような気がします。俳優になりたい、ミュージシャンになりたい、映画監督になりたい、カメラマンになりたい……なんでも、そういう商売をめざす若者たちは東京に行って、精密な格付けを得ようとする。逆に、「誰もやっていないこと」には誰も興味を示さない。知的イノベーションが起きなくなるのも当然です。

岩田　耳が痛いです。日本独特の病理ですね。ちなみにわれわれの領域もまったく同様です。

内田　そうなんですか。

岩田　医学の世界にも弱小の医局と、巨大な医局というのがありまして、例えば東京だと、東大や慶應の医学部が大きくて一、二を争う力を持っているんです。医師たちもみんな、東大と慶應の医局に入りたがるんですね。僕は島根医大の卒業生ですけど、島根出身の医者がそんな巨大な医局に入っても、結局下っ端扱いされるだけなんです。でも、大きな医局に所属しているだけで安心できるから、出世したい医者も東京に集まるんです。それで島根医大を卒業した医者も少なからぬ人が東京の大学に入ります。といってもそこで存在感はなかなか出せないし、トップ層に上がる見込みもまずないのに、居心地がいいんですね。

内田　同じですね。

岩田　学会も同様です。日本の場合は糖尿病と高血圧、がんの学会が巨大な組織で、専門家がすごくたくさんいます。それこそ高血圧の専門医なんて山ほどいるんですが、はっきり言ってこの数十年間、高血圧の研究や治療でブレークスルーになるような新しい発見って全然ないんです（私見です）。

一方で感染症は、高血圧などに比べて超ニッチな分野なんです。だから感染症をやりたいという医者はほとんどの人が変人で（私見です）、「その集団の一員になりたい」という帰属意識が極めて低いタイプばかりです（私見です！）。日本では感染症の専門家の絶対数が少ないから、未来においても人があんまり集まってこない。

内田　その循環ですね。人が集まらないので人が集まらない。

岩田　そう。集まるところには、どんどん集まるがゆえに、さらに集まってゆく。

内田　東京に人が集まる理由もそうなんだと思います。

「なんでもアウトソーシング」の過ち

岩田　でもそれって、日本だけの非常に内向きな思考だと思います。大学の世界ランキングが最近よく話題になりますが、近年は日本の大学の順位が落ちて、先進国でもかなり低いですよね。英国教育専門誌の「タイムズ・ハイアー・エデュケーション」によると、東京大学は36位で日本ではトップ、次が京都大学の54位です。ちなみに第1位は五年連続でオックスフォード大学ですが、中国の清華大学が20位などと、アジア圏でも後塵を拝している。

内田 かつては東アジアでは日本がトップだったのに、ほんとうに落ちましたね。

岩田 今、日本に来る留学生の数もどんどん減っています。コロナのせいもありますが、「日本の大学に行きたい」というインセンティブが外国人の若い人からほとんど失われてしまった。逆に日本では少数派ですが、最初から東京大学ではなく、オックスフォードやスタンフォード、ハーバード大学をめざす高校生が現れています。

それに輪をかけたのが、コロナです。コロナ禍で「自国の相対化」が加速したと思うんです。日本のどこに住んでいるかなんて、もうどうでもいい。こんな小っちゃい島国で、「東京暮らしか、それ以外の場所か」なんて比較は意味がないわけです。これからは、こうした「日本をあくまでも選択肢の一つ」として生きていく人と、従来型の価値観の人たちとに分かれていく気がします。

内田　日本の大学は、学術的発信力が年々弱まっていますからね。

岩田　その通りです。医学領域でも、海外に留学する学生が激減しましたし、たぶん他の分野でも似たような傾向だと思います。

内田　日本の高等教育の劣化はかなり悲惨な状況なんです。論文刊行数はかつては世界2位だったんですけれど、今は5位。人口当たりの論文数は16位。博士課程進学者は2000年を「100」としたとき、2018年は「83」、海外派遣研究者数は「100」が「75」。20年間で25%減ったんです。

日本の大学に行かずに海外の大学に出る人にはいくつかタイプがあると思うんです。一つは留学後そのまま海外で仕事を見つけて日本には戻らない人。これは自然科学系と女性に多い。日本に戻ってきても、能力にふさわしいポストを期待できないと思う人たちは海外に残ってしまう。日本に戻って来る人にも、海外で学んだことを祖国で活かしたいと考える人と、ただ単に海外の学歴という箔をつけたい人の二種類がいる。

岩田　うんうん。

内田　箔をつけるために留学するというタイプは昔から多いんです。日本社会の国内ランキングで上位に行くためには、海外で高等教育を受けておくと有利だと考えられているからです。最終学歴が英語圏の大学であればどこでもいい、大学院であればなおさらいい。日本では東大を筆頭とする大学の序列が割とはっきりしてますけれど、海外の大学卒だと、扱いが「別枠」になる。

岩田　すごくよくわかります。

内田　最近の自民党の世襲議員たちの最終学歴を見ると、半数近くが英語圏の大学なんです。あまり聞いたことのない大学も含めて。

岩田　確かに！

内田　政界だけではありません。子育てについて話を聞くと、中産階級の家庭でも、子どもを小中学校からインターナショナルスクールに入れたいという家庭がけっこう多いんです。中学から英語で教育を受けさせて、英語圏の大学に入れて、それで箔をつけて日本に戻って来るというキャリア設計らしい。

でも、これって、いわば「教育のアウトソーシング」なんですよね。新自由主義が日本社会に持ち込んだ悪いものはいろいろありますけれど、その一つが「なんでもアウトソーシング」です。**行政も、教育も、医療も、公的な活動をとにかく民営化・外部化する。そして、ある時期から、日本の未来の世代を育てる教育事業まで「外注」するようになった。それを「グローバル化」と称している。**

確かに、日本国内に日本語で世界レベルの高等教育が行える学校を作ろうとしたら、それなりのコストがかかる。世界レベルの日本人教員を養成しなければならない。でも、高等教育を日本国内で賄う必要はない、海外に外注すればいいじゃないかということになれば、ハーバードでも、オックスフォードでも、ケンブリッジでも、スタンフォードでも、北京大学でも、海外にはいくらでも一流の学校がある。家にたっぷりお金があれば、学力の高い子どもはそういう海外の教育機関で学ぶことができる。そういうことができる時代に何も無理して日本国内に世界レベルの高等教育機関を作る必要はない、グローバリストたちはそう考えた。

それからなんです、日本の大学のレベルが一気に下がったのは。「教育はアウトソースすればいい」というような無法なことを言い出した連中が教育政策の決定に携わるようになってからなんです。世界には立派な大学がいくらでもある。レベルの高い教育を受けたければ海外に雄飛しろ、と。海外の学校に出て行かない若者は学力がない、勇気がない、冒険心がない、機動性がない、グローバル化時代に遅れている……と見下されるようになった。

グローバリストは機動性を人間の最大の美質だと見なしていますから、日本列島から出られない、日本語しかできない、日本文化の中にいると居心地がいい……というタイプの国民は「二流国民」に格付けされます。そして「若者は機動性を持つべきだ」という話がそのまま「だから、日本国内に世界レベルの高等教育機関を作る必要はない」という話に流れる。必要なものは、必要なときに、必要なだけ「マーケット」で調達すればいいという考え方をする人たちは、日本の学術的発信力をどうやって世界レベルにまで引き上げるかという問いに切実さを感じない。

空洞化する高等教育のゆくえ

岩田　帰国したときの国内評価を求めて、海外に行くわけか。

内田　そうなんです。自身の最終学歴が英語圏の学校である人たちが今の日本では次第に指導層を占めつつあるわけですけれども、この人たちは日本の大学のレベルを上げることには関心がないんです。関心がないどころか、日本の大学のレベルが低下したほうが、自分たちの学歴の価値が相対的に高まるということに気づいている。それ、学級崩壊を引き起こす子どもの発想と同じなんです。同学齢集団のなかで、少ない努力でよいランキングに格付けされようと思ったら、一番効率的なのは周りにいる子どもたちの学習を妨害することです。自分が学習塾で学校より少し先まで進んだ子どもは、学校の授業がそこにたどり着いたときには、立ち歩いたり、声を出したりして、周りの子どもたちの学習を妨害する。それと同じロジックです。海外の大学や大学院を出たことのアドバンテージを最大化するためには、日本の大学のレベルを下げるというのが一番効果的なんです。そして、彼らはそれを無意識のうちにやっている。

岩田　日本の学力崩壊が、学級崩壊と同一線上にあるわけですね。

内田　日本の学校のレベルが下がれば下がるほど、海外で教育を受けてきた人間の国内ランキングは上がる。日本の指導層の子どもたちが海外で教育を受けるのが流行になって四半世紀経ったわけですけれど、それと歩調を合わせるように、日本の学校教育のレベルを引き下げるような政策が次々と打ち出されてきた。

岩田　日本の学力低下の背景にも、ランキングの呪縛が絡んでいますね。

内田　前にバリ島に行ったとき、ツイッターで「バリ島に行く」と書き込んだら、現地にいる僕の読者の方からメールがあって、バリ島にいる間に一度読者たちとご飯を食べませんかと誘われて、十人くらいの方と一緒に食事をしたことがあるんです。そのときに、バリで「日本人向けのインターナショナルスクール」を作る計画があるという話を聞きました。「なぜ、バリ島に英語で授業をする学校を作るんですか?」と聞いたら、日本人の親のニーズがあるからだと言うんです。

岩田　なるほど。

内田　日本でも裕福な家庭は、スイスの寄宿学校や、ニューイングランドのプレップスクールに通わせます。そこまでのお金がない家庭は、シンガポールや香港やマニラのインターナショナルスクールに留学させる。それでもまだ高いという親たちのために、「もうワンランク物価が安い国」にインターナショナルスクールを作る計画があるんだそうです。母子が一緒にバリに来て、父親は日本に残って仕送りする。

でも、それを聞いて、そんなことをして子どもに「箔をつけて」もあまりいいことないんじゃないかと思ったんです。その子たちは別にバリ島に何も興味がないわけですよね。インドネシアという国にも、バリ島の宗教や芸能に興味があるわけでもなく、ただ「他より安いから」という理由で、何年間かをバリ島で過ごすことになる。

岩田　バリに住んでいる現地の人たちへの関心もないでしょうね。

内田　バリ島のご飯が好きだとか、バリの宗教文化が好きだというのなら、バリにいることに意味があると思うんです。でも、その子たちはただ何年間かマンションと学校の間を往復して、英語で授業を受けるだけですから、バリに「島流し」にされているようなものなんです。仮にうまい具合にインターナショナルスクールを出て、英語圏の大学や大学院を出たとして、果たして、日本に帰ってきて、何をするつもりなのか。

岩田　どんな気持ちで日本社会に接するでしょうね。

内田　この人たち、日本に対してあまりいい感情を持っていないと思うんです。子どものときから十年近く海外を移動してきて、どこの国にも帰属意識を持つこともなかった。ただ、「海外で教育を受けると、日本に帰ってから格付けが上がる」というだけの理由でその苦役に耐えてきたわけですよね。そういう人たちが大人になって日本社会に戻ってきた。彼ら彼女らにとって日本というのは、「そこで学校教育を受けたら先がない」と親たちが判断して、いわば〝見捨てた国〟じゃないですか。そこに戻って来て、日本の組織に入った場合、日本で学校教育を受けた上司も同僚も部下も、みんな「先のないやつら」だということになる。

岩田　日本の教育を否定して出ていったわけですからね。

内田　たぶんそういう子どもたちは二言目には「だから日本はダメなんだ」と言い続けるような人になってしまうと思います。それを聞かされる周りの人もうんざりでしょうけれど、本人だってずいぶんつらいと思うんです。でも、**今、そういう「日本にうんざりすること」によって日本社会の内部的な格付けを上げようとする子どもたちを大量に製造中**なんです。怖い話です。

岩田　ほんとですね。

内田　そのままバリ島に骨を埋めるつもりならいいんですよ。すっかりバリ好きになって、インドネシア語にも熟達して、インドネシアの大学に進学して、日本とインドネシアの「架け橋」になるぞとかいうのだったら、それこそグローバル教育の成功事例だと思うんです。でも、今バリ島のインターナショナルスクールに子どもを送り込もうとしている親たちは、子どもが「バリに骨を埋めたい」とか「インドネシアの子と結婚したい」とか言い出したら、「話が違う」と怒り狂うでしょう。

でも、こういう事例はほんとうに「氷山の一角」だと思います。官民を挙げて、無意識のうちに日本の学校教育の空洞化を進めているように僕には見えます。

国公立大学に対する運営費交付金は年々減額されています。日本の学校教育に対する公的支出の対GDP比は4％弱でOECD加盟国の平均より低く、もう久しく最下位クラスです。財源がないというのがその言い訳ですけれど、「日本の高等教育なんて別に空洞化してもいい」というなげやりな気分が政策決定者の心のどこかにあると僕は思います。

日本が消えて見えてくる現実

岩田　今のお話もますます耳に痛いです、僕は。ニューヨークで研修医をやっていたとき、僕自身も確かに全能感らしきものを味わいました。「この摩天楼のニューヨークで医者をやれている俺は、日本の医者とは一味も二味も違うぞ！」という幻想に囚われ、自分はものすごくデキる人間のような錯覚に陥っていました。アメリカに行って、三年目ぐらいのことです。

その頃、日本から友だちが遊びに来ると、「お前、英語で診察してるのか、スゴイな！」とか言われるんです。冷静に考えれば、やっていることは日本とまったく同じで、聴診器で患者さんの胸の音を聞いたり、薬を出してるだけなんです。単に英語でやってるだけ。それなのにニューヨークにいるというだけで、「俺って、すごくない？」と舞い上がっちゃったんです。

内田　岩田先生でもそんなことに。

岩田　はい。当時は僕、ホントにメチャメチャ鼻持ちならない研修医でした。一種の〝中二病〟ですね、いい歳でしたが（笑）。でも自分だけじゃなく、ニューヨークの病院には、世界から鼻っ柱が強くて態度がでかい人が集まってくるんです。だから、「腰を低くしてたら負けちゃうぞ」と思い込んで突っ張ってたんですが、あるとき「君、態度、悪いよ」とはっきり言われたんです。それで初めて、自分の評価がすごく低いことに気づきました。

内田　誰に言われたんですか？

岩田　一緒に働いていた上司的な存在の先生からです。「君の話しぶりも態度も、すごく傲慢だよ」と言われてショックを受けまして。注意して見回すと、優秀な人ほど穏やかで、偉ぶるところが少しもない。カンファレンスなどでも、その人は他の医師が盛んに発言するのをじっと聞いて、最後に静かにとてもクリティカルな発言をするんです。それまで「日本人は英語に苦手意識を抱いて発言しないから、自分はたくさん発言しよう！」と思ってしきりに喋ってたんですが、大事なことはそこじゃないんだ、と。落ち着いてみると、周りがどんどん見えてくるんですよね。南米や中東のいわゆる途上国出身の医師たちに、非常に優秀な人が大勢いたんです。

内田　キューバの医療レベルが高いって聞いたことがありますが。

岩田　はい、キューバの医師はとても優秀です。でも、キューバ人は政治的にアメリカに来るのが難しいので、ニューヨークでは見かけませんでした。

内田　アフリカにはいたでしょう。

岩田　アフリカでは、キューバからの医師団の支援がありましたね。優秀だったのはペルーとイラクの医師です。それぞれの国の大学医学部で、ダントツの人がアメリカに来るようで、並みの米国人医師よりも圧倒的に勉強しているし、メチャメチャ優秀なんです。電話帳ぐらいある分厚い医学の教科書を読み込んでいて、「その病気だったら何ページにこういうことが書いてあるよ」って覚えてるんですよ。一歳年下のイラク人の研修医はあまりに優秀だったので、僕が指導する立場だったにもかかわらず、「教科書に何て書いてある？」と教えを請うようになりました。

結局、舞い上がっちゃうのは、周りが見えていないからなんですよ。周囲をよく観察するようになって、自分の卑小さに遅ればせながら気づくようになってから、俄然いい感じで仕事ができるようになりました。最初の三年ぐらいは、アメリカにいながら日本に意識が向いていたんだと思います。

内田　視野から日本が消えて、現実が見えるようになってきたということですね。

岩田　はい。そのうちにアメリカの「外」も見えるようになっていきました。その後ロンドン大学の通信制の修士課程に進んだんですが、アメリカとイギリスでもずいぶんスタンスが違うことを知りました。日本にいたときは、アメリカの医療がグローバルスタンダードだと教えられたんですが、実際にはそれも一つの見方に過ぎない。それから中国に行き、そこでシンガポールやフランス、ドイツ、オーストラリア、南アフリカのドクターと一緒に仕事をすると、皆それぞれのスタイルがあるんです。**それは「違い」であって、「優劣」ではない。**それぞれに優秀なんですね。自分がスタンダードと思っていた手法が単なるアメリカ医療の習慣に過ぎなかったとわかった途端、また一つ視野が開けました。

アメリカ帰りの日本人医師って、「日本の医療はここがダメだ」と言いがちです。僕も少なからず言いますけど、その背景には「アメリカが世界基準だ」という近視眼的な前提があると思う。現実は、そんなに単純なものではありません。

反知性主義のバックラッシュ

内田 「武者修行」のつもりで海外に出て行った人は、日本にいずれ帰ってくるんですよね。凱風館の寺子屋ゼミに来てくださっている医療経済学者の兪炳匡（ゆうへいきょう）先生は、医学部を卒業後に大阪で臨床医をしていたんですけれど、医療経済学を学びに渡米して、そのまま二十五年間アメリカにいて、いくつかの大学で教えて、最後はカリフォルニア大学の医学部の准教授だった方なんですけれど、最終的には「日本の医療を良くしたいから」という決意で日本に帰って来られた。

「日本はここがダメだ」と言いつのるグローバリストにちょっとだけ外見は似ているようなんですけれど、立ち位置が全然違うんです。兪先生の場合は、日本のシステムについての批判を駆動しているのは、熱烈な使命感なんです。「このまま日本の医療と教育を放置しておくと、祖国が後進国になってしまう」と心配して、骨身を削って働いている。根本にあるのが「共同体に対する責任感」なんです。キャリアだけ見るとグローバリストみたいだけれど、実は違う。

それを区別する必要があると思うんです。僕の議論も「要するに、あなたはローカルなものを大事にしよう。教育のグローバル化はいかんと言っているわけですね」というふうに単純な主張に要約されてしまうリスクがある。

岩田　そう。日本の場合、それが危ないですよね。「ここは日本なんだから文句を言うな」みたいなことを言う人がけっこういます。でも実際には、そんな人ほど日本の良さに貢献できていない。俗に「ネトウヨ」と呼ばれる人たちが典型的ですが、日本の閉鎖性や差別的な面など、海外から見て最も良くない面ばかりを強調しています。愛国心を鼓舞することで起きる悲劇は、イタリアのムッソリーニやドイツのナチス政権、中国の毛沢東の時代でも証明済みで、右派も左派も関係ない。いずれも外国から見れば〝醜悪そのもの〟だったわけですから（まあ、外国でもムッソリーニやヒトラーや毛沢東を崇拝してた人はいたみたいですけど）、「相対的に日本を見る」という視点がこれからはものすごく大事だと思うんですよね、常に。

内田　まったくその通りです。

岩田　「他の国の目で日本を見る」という相対的な視点を失ってしまうと、ただの井の中の蛙（かわず）になってしまう。コロナ禍はそれを気づかせるきっかけになったとも思うんです。

２０１３、14年頃からでしょうか、第二次安倍政権以降から「インテリ嫌い」の風潮が政府主導で世の中に高まりましたよね。20年菅政権下での「学術会議なんか潰してしまえ」という論調が一定の支持を集めたりするのも、ロジックや知性より「空気」や「忖度」を重視する流れがあったからです。でも、新型コロナウイルスのパンデミックがそれに歯止めをかけた。ウイルスには「忖度」なんて言葉はまったくありませんから。

内田　おっしゃるように、日本社会は21世紀になってから、反知性主義が跳梁跋扈するようになった。でも、僕はいずれバックラッシュが来ると思うんです。アメリカのトランプを筆頭に、世界各地で反知性主義・歴史修正主義・排外主義が広がりましたけれど、こういうのは永続するわけじゃない。

確かに、反知性主義はある種の爽快感をもたらすんです。でも、政府が主導して反知性主義が国内を覆い尽くしてしまうと、国民が愚鈍化する。愚民のほうが統治しやすいというのは事実ですが、国民がみんな愚民になってしまうと、さまざまな社会問題に対して適切な対応ができなくなり、国力が衰微して、国が滅びに向かう。

コロナによるパンデミックがまさにそうでした。こういう国難的危機に対処するためには、出来事を長いタイムスパンのなかで考えることができて、ロジカルに思考できる人が必要です。きわだってスマートな人が統治機構の要路にいることが必要になる。出来事の原因をしっかり分析し、現状を正確にモニターし、予測不能の未来に備えてプランA、プランB、プランC……と複数のプランを立案して、状況の推移を見ながら適切なプランを選択してゆく。そういう複雑な知的操作ができる人が統治機構の中枢にいないと危機的状況は乗り越えられない。

たぶんこのパンデミックがきっかけになって、**「ある程度賢い人たちが政府中枢にいて、政策を起案、実行し、吟味するシステムがないと国難的自体には対処できない」という当たり前のことを国民の一部はもう気づいた**と思うんです。

反知性主義がもう「どん詰まり」に来ているなと感じたのは、N国党が出てきたときですね。2019年の参院選では比例で一議席を確保しましたが、さすがに2021年の衆院選では議席が取れませんでした。反知性主義を「面白がる」というシニカルな態度が二年前はそれなりに若い人たちの間にあったわけですけれども、それも消えたように思います。

岩田　そうでしょうね。

内田　知性をバカにしたり、知識人を侮るのが爽快なのは、「それまで威張っていたもの」が面子を潰すから爽快なわけで、今ほど反知性主義が蔓延して、知性的であることがさほど社会的な力を持たなくなってしまうと、爽快感も何もない。反知性主義が十年続いた日本社会ではもう「知的であること」をありがたがるという習慣がない。今「知識人として」というような名乗りをする人ってもういませんからね。

それより「ただの素人ですが」「市井の人ですが」と断ってからものを言うマナーが定着した。「オレ、よくものを知らんのですが」という予防線を張っておくと、インテリに対して「オレでも知っていることを、あんたはなんで知らんのですか」というタイプの絡み方ができる。そういう点では「非知識人を名乗る」のは知識人相手の論争ツールとしては使い勝手がいいんです。でも、そうやってみんなが論争的局面で、「自分はいかにインテリではないか」をまずポジションとして先取しようとするようになると、もう反知性主義の看板を掲げても、批評性がなくなる。そのうちに「やっぱり物知りで、賢い人がいないとまずいよ」という当たり前のことに立ち戻るだろうと僕は思っています。

イエスマンを見分けるブルシット・ジョブ

岩田　知性主義と反知性主義の分断については、今、特にワクチンを巡る社会の分断に顕著に表れています。反ワクチンを主張する層は、やはり反知性主義的な思考回路の人が多いのですが、なかでも極端な人々はほぼ宗教化しています。神戸大病院に入院してくるコロナ患者のなかにも、信念を持ってワクチンを打たずにコロナに罹ったという人が一定数いるんです。自ら確信的な反ワクチン主義者もいれば、周りから「ワクチンで不妊になる」などと言われて打たなかったという人など、多少グラデーションはありますが。

「反ワクチン主義」というのは歴史的にずっと存在していまして、それこそジェンナーが天然痘ワクチンを発明した頃から、反ワクチン派は世界中にいたんです。英語では「アンティバクサー」と呼ばれています。反ワクチンは日本独特の現象ではなく、アメリカやヨーロッパにも数多く見られますし、今後もなくなることはないでしょう。

とはいえ、インターネットの影響は顕著です。反ワクチンの広がりに大きな影響を与えているのがネット上のデマです。一読限りではもっともらしい、医学用語を使ったデマ。それらがインターネットで世界中に拡散される時代です。まあ、ネットにはそうしたフェイクを広げる一方で、速やかにデマを検証して修正する働きもあるのですが。

内田 そうですね。

岩田 誰かが意図的にデマを振り撒くと、それを修正する動きが必ず現れます。昭和の時代だったら、例えばテレビでツチノコや口裂け女、はたまた心霊写真のようなデマが放送されても、検証されずに広がりっぱなしでしたよね。オカルト好きな人は、そのまま鵜呑(うの)みにしてしまう。テレビでも、有名なコメンテーターがそう言っている、という具合にです。ですが、ワクチンのフェイク情報に対しては、すぐさま「そのデータはデタラメ」「その写真は捏造」というように、必ずチェックが入ります。

内田　ネット上のファクトチェックはかなり速くなりましたね。ファクトチェックは、中枢的に仕切るより、世界中の人が自発的に、同時多発的に進めたほうが速いし確実だと思います。世界中のエンジニアがボランティアで開発したコンピュータOSのリナックスのように、多くの人の集合知によってファクトチェックがなされる仕組みが整備されることを願っています。

岩田　同時にAIが発達したことで、画像や音声の深刻なフェイクを見破る技術も進化しています。それらしい画像が出ても、すぐに元の写真を見つけ出して、「捏造です」と示してくれる。AIでディープフェイクが生まれる一方で、見破る技術もAIが担うという……。

内田　その辺はイタチごっこですね。組織の話に戻りますが、組織をトップダウンにすることのリスクについて、日本人はあまりに警戒心が足りないと思うんです。トップに権限が集中する組織では、トップのアジェンダになんでも賛成するイエスマンばかりが

オバマ前米大統領の「ディープフェイク」映像。BuzzFeed Videoが公開した動画で、オバマ氏自身が本当に語っているかのように見えるがフェイク画像である。

登用されるようになる。

岩田　そうですね。直言居士は、弾かれてしまう。率直に、「あなたは間違っている」と直言してくれる人がどれだけ大事かを理解していない。

内田　そうなんです。ほんとうに賢いトップは、自分とものの見方が違っていて、異論を述べる人をあえて自分のそばに置く。これ、けっこう心理的にはきついことなんです。能力があるけれどもトップに遠慮しないで異論を立てる部下と、能力はないけれどどんな指示にも従う部下とどちらが「使いやすい」かと言えば、それは圧倒的に後者なんです。だから、ほとんどの組織では、上位者に対する忠誠心を能力よりも優先させて勤務考課する。でも、忠誠心を能力考課に代える組織では、原理的に今のトップよりも賢い人、見識が高い人は絶対に育たない。そうすると組織は縮小再生産のループにはまってしまう。

岩田　能力の低い人ほど査定に敏感で、且つその優劣をすごく気にするんですよね。僕が知っている能力の高い人は、他者からの評価や、他者との優劣なんて全然気にしない人がほとんどです。むしろ自分より優秀な人が近くにいればいるほど喜ぶタイプが多い。そもそも、自分より能力において劣っている人には、自分は正しく評価できないからですね。「類は友を呼ぶ」で、能力の高い人の周りには、どんどん能力の高い人が集まってくるという好循環が生まれるんですよね。

内田　そうなんです。個人の能力の高さと上位者への忠誠心はだいたい反比例しますからね。

岩田　逆に能力が低い人は、忠誠心を前面に丸出しにして、子犬のように権力者にすり寄っていく。ですから、**ほんとうに組織を活性化したいのなら、「すり寄ってくるな！」とトップは常に言い続けなければいけない。**「忠誠心でアピールするのは、組織のために良くない」という風土を根付かすべきなのに、多くのトップはイエスマンほど傍に置き、ましてや「よしよし、えらい」と可愛がっちゃうからすり寄る人間がますます増えていく。日本に限ったことではないとも思いますが、長期的に見れば組織として必ずマイナスです。

内田　そうなんです。でも、今の日本の組織では「イエスマンであること」がキャリア形成上の必須条件になっている。そして、「イエスマンの見分け方」として最も効果的な方法は「ブルシット・ジョブを命じること」なんです。何の役にも立たない、まったく無意味なタスクを言いつける。それに異を唱えず従う人間が理想的なイエスマンなわけです。まともな部下だったら、「こんな仕事、何の意味もないですよ」と異論を立てて、指示に逆らう。トップダウンの組織では、上位者の指示が遅滞なく末端まで示達されることを理想としますから、途中で「こんなの無意味だ」とか「こんなバカな指示を出したのは誰だ」というような抵抗があることをひどく嫌います。上位者と違う基準で自律的に判断できる人間を許容しない。そして、そういう人間を見つけ出して、排除するためには、ブルシット・ジョブを課すのが一番いいんです。指示がどこかで止まったら、そこに「組織の癌」があることがわかるから。

岩田　まさにその通りです。

内田　だから、自分のところの組織がきちんと上意下達的に編成されているかどうか知ろうと思うと、トップは自己点検のために定期的にブルシット・ジョブを発令するようになる。それも無意識にやるようになる。だから、怖い。

権限をトップに集中するということをこの四半世紀ほど日本のあらゆる組織で進めてきたわけですけれども、その結果、組織の上から下までイエスマンで埋め尽くされ、定期的に大量のブルシット・ジョブが発生するようになった。それが日本衰退の実相だと僕は思います。

語られない東京オリンピック

岩田　先程、オリンピックの話をしましたが、終わって三カ月しか経ってないのにオリンピックの話題はすっかりなくなってしまいましたね。

内田　そうですね。誰も話さなくなりました。

岩田　今は話題にしにくい理由もわかるんです。もうすぐ北京オリンピックが始まりますから。中国は国家的威信をアピールするために「東京オリンピックはグダグダだったが、北京オリンピックは違う」と示したがると思うんです。で、日本のメディアや政府は絶対にそれを認めたくない。それでオリンピックの話自体を封印する方向に持っていっている気がします。

内田　なるほど。でも、きっと比較されますよ。日本人はもうオリンピックのことなんか忘れてしまったかのような顔をしていますが、もともと作為的、人為的に盛り上げたイベントでしたから。**メディアが作り上げた虚構の熱狂と、市民の無関心の間に深刻な**

乖離がありました。「オリンピックのテレビ放送はついに一度も観なかった」という人が僕の周りにもたくさんいます。国家的イベントでここまで国民がそっぽを向いたのは過去になかったんじゃないかな。

岩田　普通、ああいう巨大なスポーツイベントがあると、繰り返しそのことについて多くの人が語り続けますよね。盛り上がった後で、しばらくその余韻が続くのに、今年の東京オリンピックはストンと落わって消えてしまった。

内田　1964年のオリンピックは、終了してから半年ぐらい後になって市川崑監督の映画『東京オリンピック』が公開されて、またもう一度オリンピックブームになった。「あのときはああだった、こうだった」とまた盛り上がりました。記念写真集や関連書籍も山ほど出ましたし。

岩田　たぶん、1964年の東京オリンピックについては今後もさまざまな機会に語られると思うんです。だけど2021年のオリンピックについては、ほとんど話題にされないような気がします。ある意味、「黒歴史」の範疇に入れられてしまうかもしれない。

僕はやはり、延期するべきだったと思うんです。

内田 ほんとに10月に開催すればまだマシだったのに。

岩田 コロナもだいぶ落ち着きましたから、客も入れられたし、暑さの問題もクリアできました。マラソンを北海道でやる必要もなかった。僕、毎朝ジョギングしていますけど、今週ぐらいから急に走りやすくなりました。真夏に走っちゃダメです。パフォーマンスが良くなるわけがない。

内田 テニスなんて、灼熱のコートでやらされて気の毒でしたよ。

岩田 今、スポーツの過度なビジネス化が世界的に批判され出しています。スポーツのクオリティや選手のパフォーマンスを下げてでも金儲けをしたい、という人たちが多すぎるということです。森喜朗さんを引き継いで会長になった橋本聖子さんが、「やっぱり夏にやるのは危険だと思っていた」みたいなことを言っていましたが、そんなの前からわかってるって。

内田 商業的なオリンピックって、もしかしたら東京で最後になるんじゃないですかね。

22年の冬季北京オリンピックも、果たしてそれほど盛り上がるかどうか、わからないと思います。2008年の北京オリンピックのときと今度の冬季オリンピックでは、中国の勢いがだいぶ違うから。

2008年の北京オリンピックや2010年の上海万博は「中国はアメリカに匹敵する大国だ」ということを世界に訴えるという明確なメッセージがありました。そして、世界中がそれを思い知らされた。でも、今度のオリンピックにはそれほど先鋭的なメッセージは中国にはもうないように見えます。あり余るほどお金があって、強権的な国が「いかにも金があって強権的なお祭りをして国威を誇示する」という以外にさしたる意味が感じられない。それに中国はこれから訪れる人口減による経済危機にどう対処するかが喫緊の課題です。ほんとうはオリンピックなんかに興じている余裕はないんじゃないかな。

少子化中国が選ぶシナリオ

岩田　中国がどのように少子化問題を克服するか、僕はこれにすごく興味があります。たぶん、かなり過激なことをやるんじゃないか、と。

内田　中国の場合、国のかたちについてのシナリオって歴史的に「一極集中か地方分散か」の二つしかないんです。中華皇帝が全土を支配しているか、群雄割拠で内戦が続いているか、どちらかなんです。習近平政権は一極集中シナリオを採っていますが、このまま沿海部に資源を集中し続けると、いずれ内陸部は見捨てられる。内陸部にはもう行政コストをかけないで、過疎化・無住地化するままに放置するというのが「都市一極集中」シナリオです。

でも、たぶん党内には「一極集中を解消して、都市に集まった資源を地方に離散すべきだ。国民はどこに住んでも、等しい行政サービスを受けられる仕組みを作ることこそが中国共産党の責務ではないのか」ということを主張するグループも存在すると思うんです。「われわれはそのような平等な社会を実現するために革命をしたのではないか」という言い分のほうに明らかに思想的には正統性がある。「農村が都市を包囲する」という毛沢東の革命思想も、「文化資本の地方離散」をめざした文化大革命も、そういうシナリオでしたから。ですから、今中国共産党内部では未来のシナリオをめぐって、かなり激烈なバトルが展開しているんじゃないかと僕は思います。

岩田　人口減に対して、集中で応じるか、分散で応じるか、ということですね。

内田　中国人がほんとうに賢かったら、「分散シナリオ」のほうを選ぶと思うんです。

岩田　ほぉ！　それはどうしてですか？

内田　だって、「集中シナリオ」にはその先がありませんから。人口が減るけれども、都市に人間を集めて、あたかも「減っていないかのように見せる」だけで、フェイクなんです。

岩田　確かに。感染症医としても同意です。

内田　だから、**ほんとうに長期的な国益を考えたら、中国人は分散シナリオを選ぶはず**なんです。内陸部にもリソースを平等に配分する。少数民族にも高度な自治を許す。多様な集団を併存させる。リスクを分散する。これが中国延命の基本構想だと思うんです。

岩田　とはいえ、中国は今、ビジネス分野で世界トップを露骨にめざしていますから、都市一極集中を手放せるかとなると、かなりハードルが高いでしょうね。中国人はプラグマティックなので、利益にならないことは絶対しませんから。

内田　これから「中国という国はどうあるべきか」についての国民的な合意形成が進められてゆくんじゃないかと思います。簡単にはまとまらないでしょうけれども、中国の場合は「かつて偉大な帝国であった」という歴史的経験がありますから、それを参照して合意形成を果たすことを僕は期待しています。

それに比べると、日本は、歴史的な時間を貫く「日本とはこういう国であるべきだ」というストーリーが弱い。国民国家って「想像の共同体」ですから、国民的エネルギーを掻き立てるための「ファンタジー」が必要なんです。「日本は本来このような国であるべきだ」ということについて国民的な合意形成ができれば、これからでも何とか国力は回復できると思うんですけど……。

第2章

査定といじめの相似構造

2021年11月18日、凱風館にて

孤独が蔓延る競争社会

岩田　今日もよろしくお願いします。昨日、大学で教授会があったんです。教授になったばかりの外科の先生が、「教授になっても就任パーティすらできなくて寂しいです」とそのときしみじみ仰っていました。コロナ禍で、あらためて孤独を感じている人は多いようです。

内田　そうなんでしょうね。

岩田　僕はへっちゃらなんですけど。

内田　岩田先生はもともと集団から離れていくタイプですから（笑）。

岩田　最近の教授会は、ほとんどがリモート会議です。重要な案件の場合はリアルになって「久しぶりですね」とお互いに挨拶しますけど、会議が終わればそのままさっと帰ります。重要案件というのは、リモートではちょっと話しづらい議題。学生の不祥事などといった、不測の事態です。

内田　「配布資料はその場に置いていってください」というのですね。

岩田　外科の先生はいわゆる「体育会系」の方が多いのですが、そういう外科系の教授陣が典型的に、「面と向かって話さないと寂しい」というタイプなのでは、という気がします。いわゆる文科系に比べ、体育会系はコロナ禍でより大きなダメージを受けたのかもしれません。ところで内田先生の合気道は、体育会系って感じがあまりしませんね。

内田　合気道はどちらかと言うと文系ですね。体育会系じゃないです。そもそも合気道は試合がないし。

岩田　でも、柔道などは、かなり体育会系ですよね。同じ武道なのに不思議です。

内田　合気道が体育会系にならないのは、たぶん試合がないからですね。勝敗強弱巧拙を競うという発想が合気道にはないんです。だから、上下関係が生まれない。道場では、昨日入会した人と三十年続けている人も並んで稽古している。待遇に別に差別がありません。みんな同等です。「掃除は下の人間がする」とか「先輩の道着を畳む」とかいうこともありません。師範である僕も門人たちと一緒にしゃがんで雑巾がけをします。門人同士は年齢にも年次にも関係なく敬語で話しています。先輩が後輩をつかまえてごちゃごちゃ説教するというようなこともありません。もし誰かを説諭しなければならないようなことがあったとすれば、それは師範である僕の専管事項です。僕以外の人間が他の門人に説教するのは越権行為ですから（笑）。

上下関係ができないのは、「教えること」そのものが稽古だからです。自分が上達するために人に教えている。だから、道場では、指導する側とされる側の関係が上下関係にならないんだと思います。自分が努力して獲得した貴重な知識や技術を人に教えているというふうに考えると、それだけの手間に対して「対価」を求めたくなりますよね。これだけ「価値のあること」を教授してやるんだから、それにふさわしい「お礼」をしろという気持ちになる。でも、ほんとうはそうじゃないんです。教えるのは自分自身の稽古のためなんです。教えることで自分自身の技を磨く。だから、ほんとうは「教える機会を提供してくれてありがとう」と言うべきなんです。

岩田　なるほど。

内田　競争と孤独というのは関係があると僕は思います。コロナ以前から現代日本社会では孤独な人が増え続けていました。地縁・血縁の共同体が解体して、それに代わって疑似家族として機能していた終身雇用・年功序列の会社も廃してしまった。

そうやって社会的なネットワークが失われた結果、**社会内において「自分はいったい何ものであるか」を知るための手立てが、競争関係のなかでのランキングだけ**になった。自分が属する専門領域において、どれくらいのランクに格付けされるのか、ということが最優先の関心事になった。それがわからないと自分がほんとうは何ものであるかがわからないから。そうやって、いつの間にか、絶えず横にいる人たちとの相対的な優劣や強弱ばかりを意識するようになった。

そのせいで、人々は分断され、原子化し、砂粒化したんだと思います。つねに競争を意識して生きていれば、そりゃ孤独にもなりますよ。「自分は誰より上か、誰より下か」ということをつねに意識していると、当然ながら他人の「欠点」に優先的に関心が向くようになる。これは必ずそうなるんです。競争的環境に置かれたときに、人々が互いの潜在的な才能に注目し、その開花を支援するということは起きません。これはもう絶対に起きない。互いにそれぞれの欠点を探し出し、それを意地悪くあげつらうことが最優先のことになる。

岩田　確かに、そうですね。

人を意地悪にする査定的な眼差し

内田　それは武道でも同じなんです。優劣を競い合うことが最優先されると、いつの間にか他人の欠点ばかり見るようになる。僕は十五年間多田宏先生の下で合気道を稽古した後に、就職して東京を離れて、多田先生に就いて定期的に稽古することができなくなったので、先生のお許しを得て、いくつか他芸を稽古することにしたんです。どれも試合のある武道でした。でも、習い始めて合気道との違いにびっくりした。

岩田　何があったんですか？

内田　道場同士の仲が悪いんです（笑）。同じ道場の門人同士はそれなりに仲がいいんですけれど、他の道場とは折り合いが悪い。師範同士が陰に回って悪口を言ったり、時には人前で怒鳴り合ったりする。そんなの合気道の世界ではついぞ見たことのない光景でしたから。

岩田　へぇ〜。

内田　どうしてこんなに仲が悪いんだろうと考えたんですけれども、それはたぶん試合があるからなんだと思う。僕が稽古していたのは二つとも審判の前で型を披露して、その評点で勝ち負けを競うタイプの武道だったんですけれども、そういう技術の巧拙って、かなりの程度まで審判の主観なんですよね。

岩田　主観、かあ。

内田　技量に天と地ほどの差があれば、主観の入る余地はありませんけれども、同じ段位で、同じくらいの経験の人たちが並んで同じ型を演じるんですから、それほど決定的な違いは出ない。それでも勝敗を決しなければいけない。だから、どうしても見方が減点法になる。審判も必死になって演武者の「悪いところ」を探そうとする。どうしても技を見る目が査定的になってしまう。「目付が悪い」「体軸がぶれた」「腰がふらついた」というようなことを仔細にチェックする。

だから、試合だけじゃなくて、日常の稽古でも同じことを言われるわけです。師範が門人に細かい「ダメ出し」をするのを聴きながら稽古しているわけですから、いつの間にか初心者まで「見巧者（みごうしゃ）」になってしまうんです。これは不思議なことで、査定的な物言いを聞きなれていると、「眼高手低」になる。自分はそれほどの技術がないのに、他人の技の欠点を評論することには達者になる。昨日今日始めたばかりの初心者が高段者の演武を見て「今、体軸が少しぶれましたね」なんていう「評論」をするようになる。で、それが結構当たっていたりする（笑）。だから、ついはまってしまうんです。

でも、「他人の技をあれこれあげつらう」ことがどれほどうまくなっても、自分の術技が上達するわけじゃない。これはそうなんです。「他人の技をいくら批判してもうまくならない。だから、他人の技を批判してはならない」ということを僕は合気道の多田先生から教えられてきたので、この落差にはびっくりしました。

シリアスなのは、**「他人への査定的な眼差し」が内面化してしまうと、しだいに孤独になるんです。**道場を越えて、修行者同士が人間的な交流を図るという機会もほとんどなかった。同じ時期に稽古を始めた人は「同期」で、道場が違っても仲良くなるものですけれども、そういうこともなかった。

チームのパフォーマンスを上げるには

岩田 今日のお話もまた耳が痛い。感染症の診療現場にも、似たようなことが見受けられます。

内田 そうなんですか。

岩田 コロナ対策は目に見えないウイルスとの闘いなのに、「あの先生のあの対処はなってない」などと身内での査定が起きがちなんです。査定、という名の評価であり批判です。そしてここが複雑なんですが、お互いに査定は嫌なんですが、一方で「自分がどう評価されているか」について皆とても気にしがちです。若い医学生や研修医にそれが特に顕著です。

内田　メンバー同士の査定が厳しくなると、集団全体としてのパフォーマンスは下がるんです。

岩田　そうなんですよ。だから僕はいつも、「チームのパフォーマンスを最大化するためにどうするか?」を考えています。そこから逆算すれば、個人のふるまい方も決まるので。

内田　ほんとうにその通りです。チーム内部でメンバーの技量の格付けをしているところくなことは起きません。誰が誰より「できる」か「できないか」というようなことをうるさく論じていると、チーム全体では力が落ちてくるんです。

岩田　特にコロナのような事態では、医療パフォーマンスをチームとして高めていかなければ意味がありません。それなのに査定的な人が一人でもいると、組織がギクシャクして事がうまく運ばなくなります。これ、たぶん全国の病院で起きていることだと思います。

内田　以前、『日本の反知性主義』(晶文社)という本に書いたことなんですけれども、そこで僕なりに「知性的」ということを定義しました。僕が「知性的」と見なす人というのは「その人がいると集団全体の知的アウトカムが向上する人」のことなんです。**知性というのは集団的に発動するものだから。**いくら個人が知的に卓越していたとしても、その人がいるせいで、場が暗くなったり、コミュニケーションが円滑に行かなくなったり、人が臆病になったりするような人って、僕に言わせれば「知性的な人」ではない。

でも、今の日本のエスタブリッシュメントを見回してみると、個人としてはそこそこ能力は高いが、その人が周りを押しのけて目立とうとするせいで、組織全体のパフォーマンスはむしろ下がっているという人ばかりが出世しているというように見えますね。

岩田　いますね。チーム・パフォーマンスが下がるようなふるまいしかしないのに、本人はすこぶる自信家で、「俺はお前らより頭がいいんだ」という無言の圧を周囲にかける人が。そういう人がトップに立って無理矢理パフォーマンスを上げようとすると、査定が「脅し」になるんです。

記憶に新しい我が国の首相だった人も、このタイプではないかと思います。「お前はここが思惑と違う。次も同じなら人事で問うぞ」と言えば、皆必死になりますからね。大学の世界でも、国からの研究資金が査定という名の脅しで決まるようになってから、各教員は皆、戦々恐々としているんです。

日本の学力を下げた教育の市場化

内田　査定とそれに基づく資源分配の問題が始まったのは、僕の記憶では、91年の大学設置基準の大綱化以降です。これは日本社会全体でそれから起きたことのたぶん先駆的な形態だったと思います。

90年代になって、大学の数が多すぎるという話が出てきました。18歳人口が減少するのに、大学定員はどんどん増えている。需給関係が釣り合わなくなったので、これから大学は淘汰されるということになった。「どこの大学は要らないのか」を査定することが教育行政にとっての優先的な仕事になった。教育活動を「減点法」で査定して、格付けすることになったのです。これは大きな転換だったと思います。

明治以来、教育行政の目的はたいへんシンプルでした。いかにして国民の就学機会を増やすか、それだけを考えていればよかった。だから、「学校が多すぎるので減らす」というような仕事を教育行政は過去百五十年の歴史の中でしたことがなかった。文部官僚は「学校を増やす」ロジックはいくらでも思いついたけれども、「学校を減らす」ロジックは持っていなかった。どの大学も文部（科）省が認可した学校ですから、「多すぎる」と言われても「じゃあ、この学校は要らない」と言うことはできない。そんなことを言えば、「いずれ要らなくなるとわかっていた学校をなぜ増やし続けたのだ」という問いに答えることができませんから。

ですから、文部（科）省は大学淘汰の仕事を「マーケットに丸投げ」することにしたのです。子どもたちとその保護者は「顧客」であり、学校は「教育商品」を提供する「店舗」であるという話に書き換えた。顧客に選好される商品を提供できる店舗は生き延び、提供できないところは退場する。マーケットに学校の存否の決定を委ねたというのが90年代に起きた教育行政の一大転換だったのです。

岩田　そうなんですね。

内田　でも、そうやってマーケットに学校の格付けを委ねるというのは、きわめて危険なことなんです。今日の話はずっとその話なんですけれども、そうすると、学校を見るときのまなざしが「査定的」な「減点法」になる。

厳密で客観的な査定を行うためには、「査定基準」をあらかじめ開示しておく必要がある。どこがどうできていればポイントが加点され、どこが足りないと減点されるかについて事前に開示しないとフェアな「格付け」はできませんからね。

それは先ほど話した「査定的」な武道でもそうなんです。毎年「今年度の技術的着眼点」というのが告知されていました。今年の試合ではどういう技術的なポイントに優先的に着眼するかが開示される。そうすると、各道場は当然にもその「着眼点」を中心にして稽古をするわけですね。

大綱化の後に、日本の大学でもそれと同じことが起きた。政府が「大学格付けのための着眼点」を開示したので、それを基準にして「競争」することになった。

その一つが「グローバル化」です。大学は学部学科編成も違うし、めざしている教育目標も違う。だから、ふつうに考えたら格付けなんてできるわけがない。でも、「マーケットに丸投げ」する以上、マーケットに多少でも客観的な「商品情報」を提供する義務が行政の側にはある。どうしても何か共通の評価基準が欲しい。その「着眼点」の一つが「グローバル化」だったのです。

「グローバル化指数」は簡単に数値的に表示できるからです。「英語でやっている授業が何クラスあるか」「外国人教員は何人いるか」「海外提携校は何校あるか」「海外からの留学生は何人いるか」「海外への派遣留学生は何人いるか」「TOEICの平均スコアは何点か」などなど。それぞれについて適当な指数を決めておいて、それを足し算すれば、極端な話、電卓一つあればその大学の「グローバル度」は算定できる。

査定というのは「みんながしていることを、みんなよりどれだけ上手くできるか」の競争です。「誰もしていないことをしている」というのは格付け不能ですから、ゼロ査定されるリスクがある。だから、格付けが厳密になればなるほど多様性は損なわれる。それは当然のことなんです。**格付けと多様性は共存できない**。日本の学術的発信力がこの四半世紀で先進国最低レベルまで下がったのは、査定を推し進めたことが最大の理由だと僕は思っています。

岩田　「日本はこれからノーベル賞を取れなくなる」と言われていますが、それも研究者に対する査定が影響していますね。文科省や厚労省の審査で研究資金の配分が決まるわけですが、その時期の旬のトピックに飛びつくのが審査に勝ち抜くコツなんです。２０１１年以降は震災や災害対策がらみの研究が一気に増えましたし、いまはＳＤＧｓとコロナだらけになりました。「コロナ」と研究名に付ければ採択されやすくなるので、皆、コロナ関係の研究ばかりしています。一方でノーベル賞は、「誰もやらない研究で成果を出した人」への賞です。二番煎じ、三番煎じの研究に与えられる見込みはありません。

先程お話に出ました「グローバル指数」ですが、もしも日本の大学がグローバル化の度合いで世界の大学と勝負するようになっても、イギリスやアメリカの大学には勝てる見込みはありませんよね。シンガポールやインドネシアの学生にしてみても、「グローバル指数が高いから日本の大学に行く」とはまずならない。カナダやオーストラリアの大学を選択しています。「日本で学びたい」という留学生は、「日本にのみ存在するもの」を得るためにやって来るのに、表面的なグローバル化をしたところで意味がありません。

箔でしかない資格の弊害

内田　日本の大学はもうだいぶ前から危機的状況にあります。人文系では大学院の定員充足に苦しんでいます。だから、中国、韓国などアジア圏の留学生たちでかろうじて定員を充たしている。

でも、アジアからの留学生が日本の大学院を選ぶ理由は、別に日本の大学教育の質が高いと思っているからじゃないんです。英語圏の大学院に比べると学位が取りやすいからというのが第一の理由なんです。「日本でなければ研究できないことがあるから日本に留学する」という人たちが来ているわけじゃない。

岩田 人文系だけでなく、博士号取得については医学系もたぶん日本が一番簡単だと思います。

内田 医学系もそうなんですか。

岩田 他の国はどこも非常に厳しいですからね。特にアメリカでは、博士号を持っていない医者がほとんどです。

内田 それは知りませんでした。

岩田 アメリカでは医師の資格を「ドクター・オブ・メディシン（M.D.）」と言うんですが、これだけで大きな資格なんです。M.D.だけという医者がほとんどで、いわゆる博士号（Ph.D.）を持っているドクターはアメリカでは非常に少ない。日本では、ほとんどの医者が博士号を持っていますからね。とはいえ、多くの日本人医師は博士号を取ったら研究をやめちゃうんです。これは何十年も前から続く医学部の悲しい伝統ですが、その医師にとって資格が箔でしかないわけです。大学院側にしても学費は入るし、論文も増えますから両得です。そういう大学と医者との癒着関係というか馴れ合いが続いています。

内田　そうなんですか。医療人としてレベルが高いというわけじゃなくて。

岩田　その流れは専門医の世界でもありまして、感染症の資格というのもいくつもあるんです。「取りやすい資格」ほど人気があって、なかでも「ＩＣＤ（Infection Control Doctor）という資格は極めつきに簡単なんです。なんと試験も研修もないんです。

内田　じゃあ、どうやって取るんですか？

岩田　病院長の推薦状をもらってレクチャーを何回か受けて、書類を整えるだけです。「寝てても取れる」とよく言われますが、アンケートで「今のＩＣＤの認定制度について、どう思いますか」と訊ねると、約八割の答えが「今のままでいい」「満足している」となります（参考：〈２０１９年ＩＣＤ制度協議会アンケート調査結果〉http://www.icdjc.jp/info/1907_anketo.html）。ひとえに容易に取れる資格だからで、実力や能力はまったく担保していないのですが、そこは問われない。僕はＩＣＤについて「もっと取得過程を厳しくしたほうがいい」と主張しているんですが、「また岩田が面倒くさいことを言ってる」と受け止められています。

内田　岩田先生は常に少数派だから（笑）。

岩田　ＩＣＤ協議会がその資格を司っているのですが、認定料を払えば誰でも取れるのが問題なんです。**その資格を持つ人が医療現場にいても、コロナ対策ができませんから**ね。そういう人は実際に知識が足りないので、いざというときに何もできないか、デタラメをするかのどちらかです。それだからか、資格は持っていてもそれをカミングアウトしない医者がけっこういます。「隠れＩＣＤ」という呼び名があるくらいなんです。

内田　あらまあ。

岩田　そうです。病院長から、「あなた、ＩＣＤでしょ。コロナ担当やってください」と言われると、「いや、私はＩＣＤだけど、あんまり感染症には詳しくありません」みたいな奇妙な会話になる。現在ＩＣＤの資格保有者は日本に九千人ぐらいいるそうですが、そのなかに感染症の専門家といえる人はほとんどいないのが実態です。

いじめにGOサインを出す教師

岩田　孤独の問題から話が膨らみましたね。少し戻しますと、コロナ禍以降に若年層の自殺者数が増えているというニュースがずいぶんありました。

内田　そうでした。

岩田　学生と社会人では、自殺の理由もだいぶ違いがあると思います。以前、『ぼくが見つけたいじめを克服する方法――日本の空気、体質を変える』（光文社新書）を書いたときに、小中高校生の自殺についてかなり調べたんです。学童の自殺の原因はほとんどがいじめなんですね。ただ調べ方によって、結果にだいぶばらつきが出ます。文科省が取ったアンケートではいじめ以外の原因が多く、民間団体が実施するアンケートでは、いじめがほぼ主要因なんです。というのも、文科省のアンケートは設問が誘導尋問的で、さらに問題なのは、学校の教頭先生にアンケートを取っているんですね。教頭先生に訊いたら「学校には問題はない」と当然言うでしょう。「訊く相手を間違ってるよ」と僕は思うんですが。

ＩＣＤのアンケートも同じことで、医者に訊けば「今の制度におおむね満足している」と答えるでしょう。ですがきちんと調査したいなら、アンケートを取る相手を看護師にするべきです。看護師さんに「今のＩＣＤに満足していますか」と訊けば、ほぼ全員が「不満だ」と言うでしょうから、あえて看護師には問わないんですね。

内田 僕も子どもの頃にいじめられた経験がありますからわかります。**学校でのいじめって、基本的には教師が暗黙のGOサインを出している**んですよね。

岩田 「いじめてもいいぞ」、と。

内田 はっきりと態度にする場合もあるし、暗黙の場合もありますけれど、教師が「こいつはいじめても構わない」というサインを出しているんです。子どもは「いじめても処罰されない」という保証がないと、なかなか踏み切れない。だから、この子をいじめたら、先生からきびしく咎められるということがわかっている子には手を出さない。

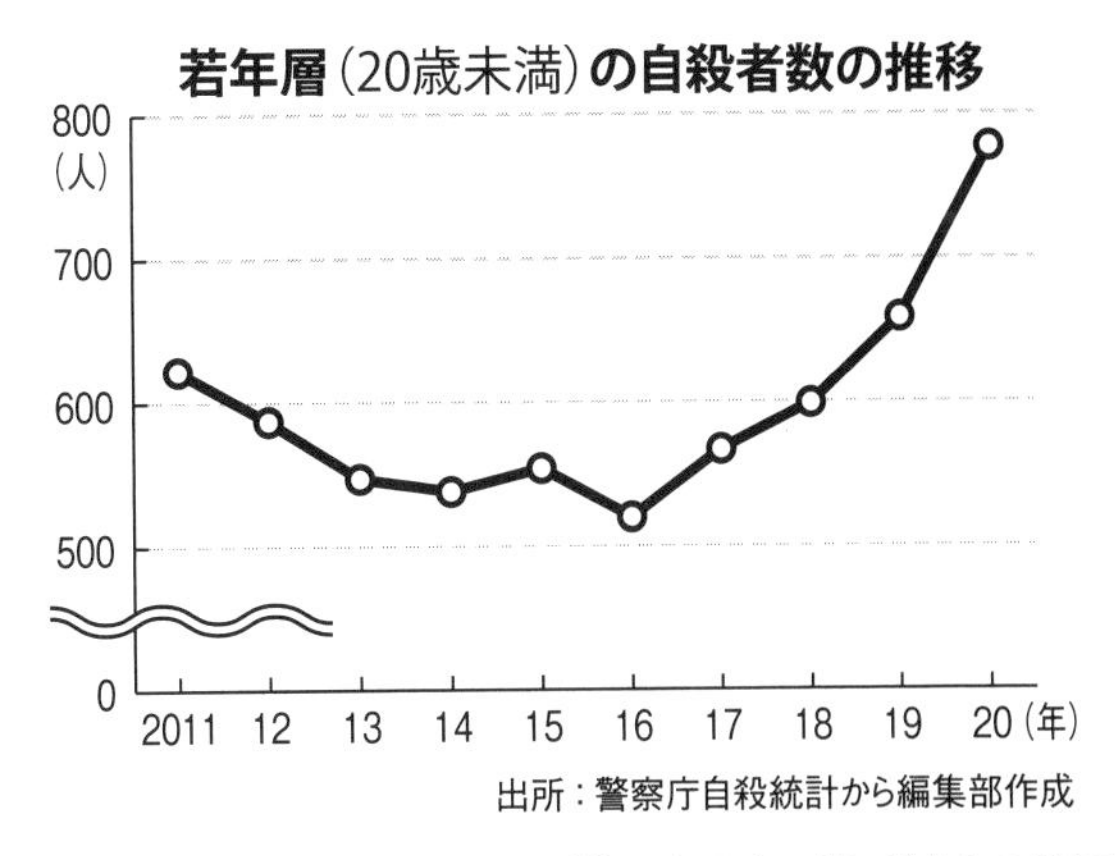

2020年、自殺者の数は11年ぶりに増加に転じた。特に増えたのが10代、20代の自殺で、前年に比べ約２割増えている。（出所：警察庁自殺統計）

先生だって、気に入らない子がいるんです。大人の本音を見透かしているような子どもや、統制を乱すような子どもは、先生にとっても目障りだし、疎ましい。そういった子に対しては、叱り方に微妙にとげがあったり、絡みかたがしつこかったりする。そういうわずかなシグナルでも「あいつはいじめても大丈夫」と子どもたちはわかる。

岩田　そして、集団でいじめる。

内田　子どもたちも、程度の差はあれ、暴力的なものをうちに抱えているんです。これはどうしようもない。だから、その暴力性や攻撃性をどうやって適切にリリースするか、それを教育者は工夫しなければいけない。子どもは誰もが「天使」であるわけじゃない。けっこう禍々しいものを抱え込んでいるんです。

だから、本気で学校からいじめをなくしたいと思っているなら、「子どもには攻撃性、暴力性が潜んでいる」ということをまず認める必要がある。その上でそれを小出しにリリースさせて、クラスメイトに向けて暴発するきっかけを与えないように気づかう。子どもが子どもに向けて暴力を振るってもいいという「言い訳」を決して子どもに与えてはいけない。

岩田　その言い訳とは、特定の子を「叱る」ような、教師自らが出すGOサインのことですね。

安全保証、社会的承認、且つ歓待

内田　そうです。でも、教員養成課程で「教師自身に嗜虐的傾向があること」のリスクについてはたぶん問題にされていないと思う。若い教師志望の大学生に向かって、「きみたちは生徒にとって非常に危険な存在になり得る」ということを教える必要があると僕は思います。教師は目に見えない刃物のようなものを持って教壇に立っている。その危険性を教師自身にまず自覚してもらうことがたいせつだと思う。教科をうまく教えるとか、進学成績を上げることよりも、「子どもたちを絶対に傷つけない」こと、それが教師の使命としては最優先されるべきなんです。

教師の第一の仕事は子どもたちに向かって、「君たちはここにいる限り安全だ」と保証することです。「ここは君たちのための場所だ。だから、君たちはここにいる権利がある。君たちがここにいることを私は歓待する」と子どもに向けて誓言（せいごん）すること。**子どもたちに安全を保証し、承認を与え、歓待し、祝福する。**それができる人なら、教え方がどんなに下手だって、僕は構わないと思うんです。

岩田　大人社会もまったく同様で、僕もとても気をつけていることに重なります。僕自身、この五年ぐらい若い研修医や学生を教える立場にいますから。

どうしても爪弾きにされちゃう人がときどき出てくるんです。そういう人って僕から見ても、カチンとくるようなことを結構言っちゃうんですよ。でも、そのときに踏みとどまる。カチンとくるのを自制して、その人の側に立つように自分に言い聞かせています。僕だって、感情のままに流されれば「なんだよ、お前は」となりますよ。それでも「こいつは仲間はずれにしてもいい」という集団の雰囲気には頑として抗い、その人をサポートしなければいけない。周囲に「抗う」のはかなり難しいんですけど、意識してやっています。そうしなければ、いじめにつながり排除が生まれ、ひいてはチーム全体のレベルが落ちてしまいますから。

ソーシャルメディアも同様です。ツイッターなどの炎上騒動を見ても、集団のノリに抗わないタイプの人は、誰かが「こいつは叩いていい」という犬笛を吹くと一緒になって攻撃を始めちゃう。それが集団になると、ますます堂々と人を傷つける。

内田　ツイッターが大炎上するのは、実はメディア自身が「犬笛」を吹いているからだと思います。メディアにしてみれば、炎上であれ誹謗中傷であれ、それによって閲覧回数が増えればビジネス的には成功なわけです。メディア自身が個人攻撃を「あってはならない」ことだと思って、決然とした態度をとらない限り、SNSが「いじめ」の温床になるということは終わらないと思います。

メディアはただ情報が行き交う無機的な場じゃない。国民的な合意形成のための対話のプラットフォームです。利用者たちの市民的成熟を支援するものでなければならない。そうである以上は守るべき「品位」と「節度」というものがあって然るべきだと思いま す。

岩田　皆が一斉に叩いているときに同調しない。それを自分のルールにしています。いじめは常に、マジョリティが、マイノリティに対して行います。だから学校でいじめが起きたとき、教師はマジョリティの逆の立場、つまりマイノリティ側に立つのがプリンシプルです。そしてその先生を、他の教師皆がサポートするのが原則であるべきです。ところが日本の社会って、そういう原理原則を骨抜きにしてしまうところがあるんですよね。

内田　そうです。教員たちの中にも「いじめ」を容認する風土がある。教員個人の「教育力」について査定がなされて、低い評価をされたものは「多少つらい思いをしてもいい」というような雰囲気があるのだとしたら、学校での「いじめ」はなくなりません。

管理業務を最小化せよ

岩田　2013年に「いじめ防止対策推進法」という法律ができましたが、ここにも疑問を感じています。いじめの定義をしないほうがいい、というのが僕の考えです。いじめの定義が明文化されると、「そこから外れたらいじめじゃない」とエクスキューズを考えるようになる。で、「定義」に当てはまらないようなやり方でいじめをする。「いじめた」「いじめてない」という堂々巡りがそれこそ堂々と行われてしまいます。当事者が「自分はいじめられている」と感じた時点で、即「いじめ」と見なして対応するべきです。

内田　同感です。人の上に立って、人に命令を下す権利を手にしたとたんに「素の人間性」が出るものです。先生に対する生徒も、上司に対する部下も、その点では変わらない。誰かを「自分に対して従順になるべき人間だ」と思ったときにいきなり自我が膨れ上がる人っているんです。

岩田　ああ、はい。体験的にわかります。

内田　でも、学校での教師と生徒や、組織での上司と部下なんてある種の「擬制」なんです。ある限定的な領域での、フィクショナルな関係に過ぎない。「先生や上司が話しているときは黙って聞く」という約束事があるのは、そのほうがふつうは効率よく事が運ぶからそうしているだけであって、別に教師や上司に対して人格的に崇敬の念を抱いているわけじゃないし、その知見を高く評価しているからでもありません。ただの便宜的な態度です。

でも、その制度的に虚構された上下関係を人格的な上下関係と取り違えてしまう人がたまにいる。あくまで限定的な技術や知識の授受を行う関係に過ぎないのに、相手の生き方にまで踏み込んで査定や干渉をする権利があると勘違いしてしまう。

「パワーハラスメント」と言われるものはそうだと思うんです。ただ業務上の指示をするだけでは「ハラスメント」になりません。「ハラスメント」というのは語源的には「猟犬に追われて息も絶え絶えになっている獣が感じる疲労と絶望」のことなんですけれど、僕はこのカラフルな語義はハラスメントの本質をよく言い当てていると思います。「どこまで逃げても執拗に追って来る」と「相手を疲労させ、絶望させることをめざしている」という二つがハラスメントの本質だからです。

組織におけるパワーハラスメントや家庭内ＤＶは「上位者には下位の人間に屈辱感を与える権利がある」と思い込んでいる人たちが起こしているんだと思います。彼らは「人に屈辱感を与えること」からある種の快感を得ている。目の前にいる人間に何らかの落ち度があると、その機会を利用して、その人に屈辱感を与えずにはいられない……という人たちがほんとうに増えましたけれども、これも**「他人の失点は自分の得点」という競争社会に固有の現象**だと思います。

岩田　一方でこの十年ぐらい、日本では「理想のリーダーとは」「あるべきリーダーシップとは」という議論が盛んにされましたよね。リーダーシップ論は大学の経営学部などでは主要テーマにもなっているほどですが、その割に日本でリーダーに立つ人の選択基準はあいまいです。実力主義でもなければ、情実主義でもない。例えばアップルのCEOだったスティーブ・ジョブスが生きていたときは、「ジョブズこそが理想のリーダーだ」などとメディアが騒いでいましたが、実際にあの人が自分のチームのリーダーだったら大変だろうな、と。

内田　そうですね。僕もジョブズはたぶんかなり「嫌なやつ」だったろうなと思いますね。昔はリーダーに求めるものが今とはだいぶ違っていたと思うんです。僕が子どもの頃、50～60年代の話になりますが、父親の本棚に「マネジメントの心構え」みたいなタイトルの本があって、たまに盗み読みしましたけれど、当時のリーダーに求められていたのはまず「人心掌握」の力でした。もちろん実務能力も大切なんですけれども、それ以上に組織を率いるためには、部下から「いい人」だと思われていることが必要だった。

僕の父親が四十代で課長だった頃、会社の人たちをよく家に呼んでごちそうしていました。日曜になると会社の若い人たちが麻雀しに来たり、碁を打ちに来てました。僕もついて一緒にハイキングに行ったりもしました。そういう面倒見がよくて、親切な上司であることがリーダーの条件だった時代もあるんです。

岩田 組織の質が変わったのだと言えるでしょうね。共同作業から競争作業に変質したことで、リーダーが同僚から管理者になってしまった。

内田 そうですね。管理者なんて、ほんとうは要らないんです。巨大な管理部門がなくても機能するというのが組織の理想なんですから。だから、「管理コストの最小化」というのは組織目標としてはとても正しいんです。

岩田 管理部門をどうやって最小化するかは、日本に限らず世界中の組織にとって問題でしょうね。

内田 「ダンバー数」っていう概念があります。イギリスの人類学者ロビン・ダンバーが提案したもので「人が安定した人間関係を維持できる認知上の限界」のことなんですけれども、これが150人。確かにその通りで、現代戦でも、戦闘の基本単位は「中隊」なんですが、これが150人なんです。古代ローマ時代の「百人隊」からこの数字は変わらない。新選組もそうです。土方歳三はフランス陸軍の軍制を真似て新選組を組織したんですけれど、隊員数はほぼ150人で推移してます。中枢に「局長」といって近藤勇と芹沢鴨と新見錦の三人がいるんですけれども、指示を出すのは土方一人でした。

岩田　そうなんですね。

内田　鳥羽伏見の戦い、甲陽鎮撫隊、箱館戦争と、土方は大きな戦争では負けていますが、土方が率いた戦闘集団は個別の戦闘では全勝なんです。

ロビン・ダンバー著『友達の数は何人？――ダンバー数とつながりの進化心理学』（インターシフト／2011年）

岩田　へぇ〜！

内田　直感力が優れていた人なんでしょうね。「強い組織とは何か」「メンバーひとりひとりが最高のパフォーマンスを発揮できる組織とは何か」ということを考え抜いていた。土方は「管理部門を最小化して、いちいち命令が下されなくても、自分は何をするべきかを各自が理解している」組織が最強だという結論に達した。

今も「管理コストの最小化」をめざすリーダーたちがいますけれど、彼らが考えているのは「権力と情報をごく少数の管理者に一元化すること」ではあるけれども、メンバー全員が「自分は何をするべきか」を理解していることは認めない。それを認めると現場に自由裁量権を許すことになるからです。権限をトップに集中させておいて、箸の上げ下ろしまで、すべてトップの指示に従わなければならないようにする。確かに見た目の管理コストは削減できますけれども、「自分が何をすべきか各自が理解している」という目標からは遠い。結果的に、指示がないと何もしないし、何もできないという人たちで組織が埋め尽くされてしまう。今の日本の組織的停滞の原因はこれだと思います。

トップダウンを衝いたウイルス

岩田　要するに、管理部が組織の上層部にあるのが良くないんです。そもそも管理って手段に過ぎないのに、日本の組織は管理が目的化してしまう。まるで〝管理するために管理する〟となって、その下で働く人たちがやりづらくなっていく。組織のパフォーマンス度が落ちてしまうのは当然です。

内田　管理部門はできるだけ小さいほうがいいということを常識として共有すべきなんです。そして、できるだけ現場の自己裁量に委ねる。指示がなくても、現場が最適解を選択できるように、組織の「ミッション」を周知させておくこと。

でも、今の日本の組織がめざしているのはそういう自律的に動く組織ではないですね。トップの指示が示達されない限り何もしない組織が理想とされている。だから、どこに行っても少しややこしい話になると「私では判断できませんので、上に訊いてまいります」と置き去りにされる。判断できないのは現場の人間が組織のミッションを理解していないからです。組織にとって何が優先順位の高いことなのかを知っていれば、解はすぐに出るはずなんです。それを知らないから、上に訊くことになる。

そして、現場に判断を許さないトップダウンの組織では必ずブルシット・ジョブが大量発生します。これは前にも言いましたけれど、制度的必然なんです。トップダウンの組織では上からの指示に対して「それは意味がありません」とか「それよりもっといいやり方があります」と直言する人間はどんどん排除されてしまう。だから、まったく無意味だということを全員がわかっているブルシット・ジョブのために貴重な時間とマンパワーが浪費されることになる。

岩田　優秀な人が最も嫌うのは、ブルシット・ジョブですからね。管理部門はそれこそ小津安二郎の映画のように、昼間にビールを飲みながらウナギでも食べているぐらいが上出来で、普段はあってもなくてもいいぐらいのほうが皆が快適に働けます。快適に仕事をすれば、結果的に成果も上がるんです。

内田　組織をトップダウンに編成すると、ブルシット・ジョブが大量発生するということについてはもっと周知されるべきです。

岩田　実際、その行き詰まりを衝いたのが、新型コロナウイルスだったんじゃないでしょうか。ウイルスにはトップダウンのシステムなんて、まったく通用しませんから。平気でえげつないことを知らん顔でやる、それがウイルスです。

先日病院でも、コロナの薬一個出すのに書類を「書いた」「書かなかった」で揉め事になったんです。とにかく延々と書類を書かされるんですよ。同意書やら報告書やら。目の前で体調の悪い患者さんが苦しんでいるんですから、口頭で「いいですか？」「いいですよ」でいいじゃないですかと言っても、上位部は理解してくれない。とにかく過程を管理しないと気が済まないという。

感染の波が非常に大きくなったときに、保健所がある種の仕事をサボタージュするようになりました。サボタージュというか、現実的にできなかったのでやむを得なかったんですが、上位への報告に伴う無意味な書類による要請に、「NO」を示したんです。もともと厚労省などは、ヒューマンリソースがどのくらいあるかをまったく無視して無理難題を要求するところがありますから。

無理難題のせいで、どんどん仕事が遅れて、自宅待機の患者さんが亡くなってしまうという現状を前にもはや「無意味な作業は続けられない」となった。ですからコロナ禍

保健所の「自宅療養」の流れ

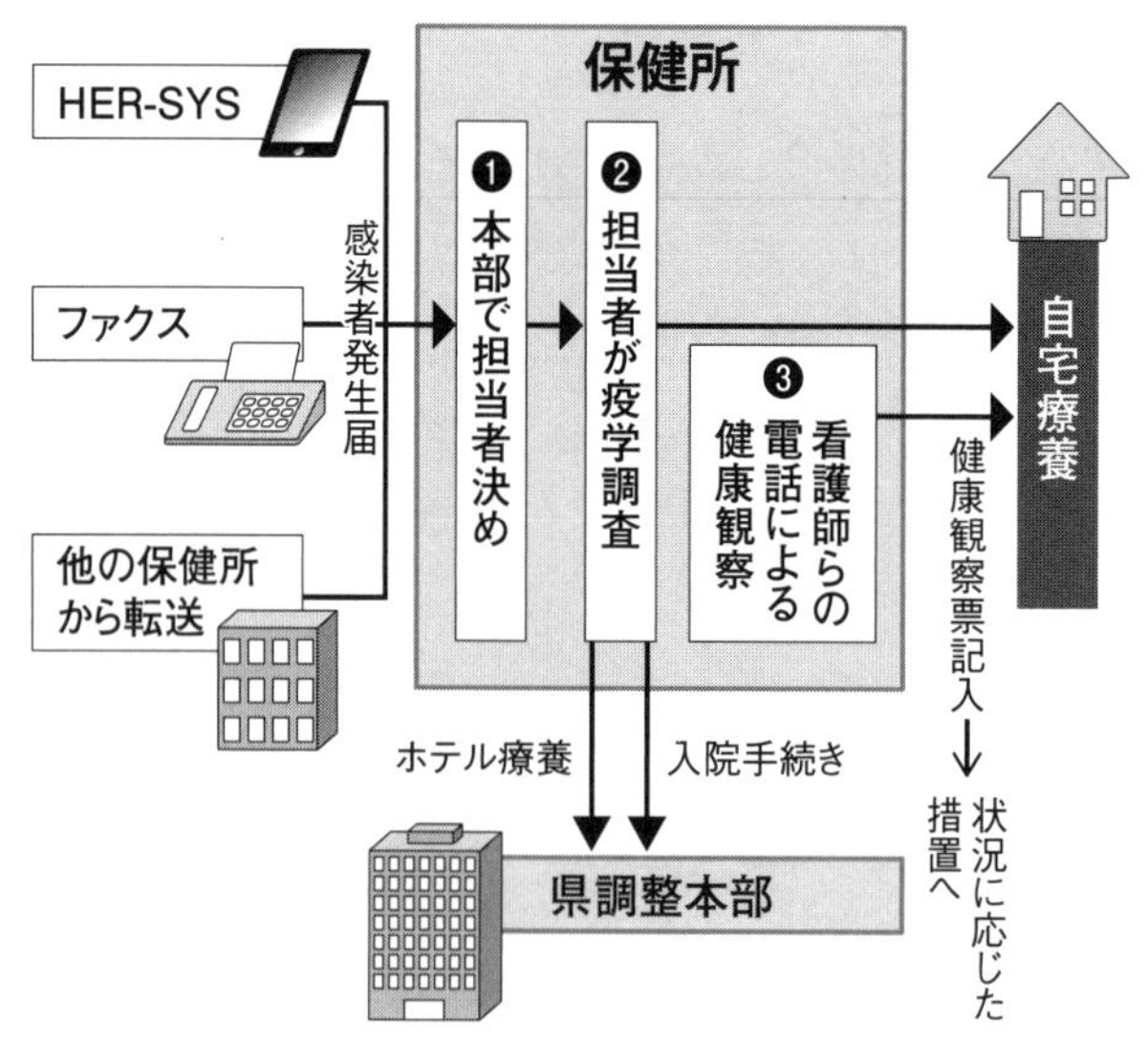

参考：川越市保健所（2021年9月調べ）

を奇貨として、良い方向へ進む可能性はあります。まあ、僕は基本的に悲観論者なので楽観視はしていませんが。

内田　せっかくこうして対談を本にするんですから、声を大にして言いましょうよ、「ザッとでいいよ」って。僕は「ザッとの人」なんです。どんな仕事でも、八割までは割とすぐにできるんです。でも、残りの二割を詰めていくのが苦手で。場合によっては、残り二割を整えるために半分以上の手間暇がかかることだってある。

翻訳するときでも、引用原文を探して、それが正しく引用されているかどうか照合するというような仕事にはすごく手間がかかるんです。でも、引用頁数が一つ違うとか、コンマが一つ抜けているとかいうことって、まあ、どうでもいいことじゃないですか。翻訳の質とはほとんど関係がないんですから。読者のことを考えたら、そんなディテールで厳密を期すよりも、読みやすい訳文にするために推敲するのに時間を使ったほうがいいでしょう。だから、ある時期から「もう、八割でいいや」(笑)って決めたんです。細かいところはいろいろと遺漏があるでしょうけれども、どうぞそこはご勘弁を、ということにしたんです。

社会の新しい方向性を示す言葉として、「ザッとでいいですよ」というのはいいと思いませんか? 現場に権限を委譲して、「あとはそちらにお任せしますから、どうぞよろしく」っていうので。

岩田 賛成です。新型コロナワクチンのオペレーションだって、ざっくりしていたから良かったんです。実際にいろいろハプニングがありましたが、日本固有の「ほどほど」や「おおざっぱ」、いい意味での「いいかげん」が功を奏したと僕は思っています。そこからさまざまな学習も得られました。ざっくりなオペレーションは、いいオペレーションです。

第3章 不条理を生きる

2021年12月16日、凱風館にて

ダイヤモンド・プリンセス号動画配信で果たせた役割

内田　コロナのせいで日本のメディアの問題点もずいぶんとあらわになりましたね。

岩田　そうですね。僕はメディアから取材依頼が来たら、ひとまずすべて引き受けています。ただ、掲載前に原稿チェックができない場合はその時点でお断りして、できる場合のみ先方の質問に応じています。それを繰り返すうちにわかってきたのですが、メディアには二つのタイプがある。僕の見解を本当に知りたいメディアと、既に出来上がっているストーリーに僕の言葉を嵌め込みたいというメディアです。しかも、後者のほうが多いんです。

内田　よくわかります。

岩田　特に、新聞メディアに後者の傾向が強い気がします。新聞記事って、初めにストーリーありきなんですよね。何面の何段に載るという枠組みが事前に決まっていて、字数も制限されている。だから仕方ないと言えばそうなのですが、記者の方にどれだけいろいろ話しても問題点のさわりぐらいのコメントしか載らないことが多い。コロナに関しては「恐れろ」もしくは「恐れるな」という、両極端な断定のどちらかを求められるんです。問題の本質ではなく、ジャッジのためのコメント役なんですね。

内田　そうです。

岩田　海外のメディアはその点が違います。例えばアメリカの新聞ニューヨーク・タイムズの記事は、文字数がハンパなく多い。ネット記事だけでなく紙面でも、一本の記事にたっぷりとした分量が割かれています。一ページにワンテーマがほとんどですが、重要な記事は二ページ以上にわたることも少しも珍しくない。イギリスの新聞も同様です。フランスやスペインの新聞についてはよく知りませんが、欧米のメディアはだいたい似たような感じでしょう。それだけの分量があると、かなり本質的な説明ができるし、誰かの発言についての反論や批評も詳しく書けるんです。

僕の専門である医療分野に関して言えば、新聞記事のクオリティは海外と日本ではかなりの差があります。「クオリティペーパー」と呼ばれる日本の大手新聞でも、ワシントン・ポストやタイムズのような深い洞察に導かれる記事にはなかなか出会えません。

内田　岩田先生は自らユーチューブでダイヤモンド・プリンセス号について問題提起されましたね。２０２０年2月初めのことです。まだ武漢での新型感染症の報道が始まったばかりの頃でした。日本語と英語での動画で、横浜港停泊中の大型クルーズ船感染対策の杜撰さについてきわめて早い時期に配信された。僕もすぐに見て、「みんな、これを見てくれ」とツイッターで拡散しました。

岩田　あんなに話題になるとは思いませんでした。予想外の反響でしたね。あのときはあの方法しか思いつきませんでしたが、新型コロナウイルスの感染者が出た船内が「今なお危険な状態である」ことを少しでも早く知らしめたかったんです。「感染対策としてここが不十分です」と僕がいくら指摘しても現場では受け入れられなかったので、対応策の必要性を外に向けて訴えました。その後、「日本の恥を世界に晒して岩田は何がしたいんだ」とSNSなどでずいぶん叩かれましたが、僕の役目は果たせたと思っています。

というのも、良かったことが二点あります。一つは、翌日からダイヤモンド・プリンセス号の感染対策がすべて望ましい方向に変わったこと。もう一つは外国の政府が、「日本の十四日間の検疫は信用できない」と判断するきっかけになったことです。ダイヤモンド・プリンセス号には何カ国もの外国人が乗船していて、十四日間の隔離後に皆チャーター便で自国に帰ったんですが、オーストラリアやアメリカなどほとんどの国がさらに十四日の隔離を自国で加えたんです。複数の方の発症がそこで確認されたわけですが、そのお陰で外国の感染源にはなりませんでした。もしも**ダイヤモンド・プリンセス号からコロナが海外に拡散されていたら、日本は各国から非難の的にされた**でしょう。

内田　岩田先生の動画で、いくつかのリスクが避けられたわけですね。ですから、あの時点で最も避けるべきことは回避できました。

情報を商品扱いするメディア

岩田　僕の最たる目的は、「感染を広げないこと」です。「まともな感染対策より、厚労省や政治家の努力を認めるほうが大事」と考える人から見れば、まったく忖度しない僕という人間に対して腹が立つのもわかります。でも、僕は個人攻撃をしたわけではありません。このままでは感染が拡大してしまうと伝えたのです。

内田　情報を発信するのは別に「できあいのストーリー」を補強したくてやっているわけじゃありません。できることなら、「まだ誰も言っていないこと」を言いたい。それによってものごとを見る枠組みを変えたい。でも、なかなかそれが受け入れられない。岩田先生がおっしゃったように、大手メディアは人の意見を定型に落とし込むことに異常なほどこだわりますね。

ある大手紙に取材されたときに、僕が思っていることを一通り語ったところで「ま、雑談はそのくらいにして……」と言われたことがあります（笑）。僕に言わせたいことがもう最初から決まっていて、そのできあいのコメント以外のことは全部「雑談」扱いだったんだ。

それに大手紙は原稿を事前にはチェックをさせてくれないところが前はありましたね。

僕の談話として紙面に出るわけですから、発言部分については事前にチェックさせてくださいとお願いしたんですけれど、断られた。それが記者のプライドなのかもしれませんけれど、別にこちらは記者が書いた記事を検閲するわけじゃありません。「僕の発言」として紹介される部分について事実誤認やニュアンスの違いがないかどうかチェックしたいだけなんです。でも、「ダメ」と言われた。「じゃあ、僕のコメント部分はカットしてください」と言いました。そういうことが二、三度ありました。

岩田　だから僕も、事前確認できないメディアはお断りしているんです。

内田　個々の発言の責任を取らされるのは最終的にはコメントした人間ですからね。「新聞にこう書いてあったぞ」と言われると「そんなこと言ってません」という言い訳は通じませんから。

岩田　情報の正確さを重視したら、事前確認したほうがよっぽどいいと思うんですが。

内田　そうなんですよ。記者が書くより、僕が書いたほうが内容については正確であるに決まっているんですから。それでも記者がまとめようとするのは「ストーリーありき」だからなんです。複雑な問題を「わかりやすいストーリー」に落とし込もうとする。わかりやすさ、読みやすさが読者への配慮だと思っている。どうして複雑な現実を無理やり簡単なストーリーに落とし込もうとするんでしょうね。そのほうがむしろ現実が理解できなくなるし、現実に対処できなくなる。テレビはもっとひどいかな。

岩田　僕は、テレビをあまり観ないんです。情報バラエティ番組などはまったく観ていません。ですが、同僚の話を聞くと、感染症の専門家ではない人がコロナについて滔々（とうとう）と話していると言う。そのほうがわかりやすいのかもしれませんが、アメリカのテレビでは、国立アレルギー・感染症研究所のアンソニー・ファウチ所長が専門的な解説をしています。言うならば、前者は視聴者優先で、後者は発信者優先。メディアの信頼性を重要視すれば、どちらが双方のためになるかは明らかなんですが。

内田　僕も10年近く前からテレビはNHKも民放もほとんど観てません。周りでテレビ番組のことが話題になることもありませんし、若い人たちはもうテレビ受像機そのものを持っていない。そのことはテレビ業界の人たちだってよく知っていると思うんです。

今テレビを観ているのはほとんどが高齢者ですから、あとしばらくしたらビジネスモデルとしては成立しなくなる。もうテレビを「復活」させる手立ては誰も思いつかない。だから、**NHKは政府広報に徹底して、政府から公的保護を受けてしばらく延命する道を選び、民放は安い制作費でそこそこ視聴率がとれるならどれほど無内容なプログラムでも放送するという虚無的な態度**になっている。「先がない」ことはみんなわかっているんです。それにもかかわらず、いまだに「テレビで言ってた」というだけで放送内容を信じている視聴者がいることが僕は驚きです。

岩田　きっとそうでしょう。テレビの報道や解説を鵜呑みにする人が少なくないのは、僕も感じています。

内田　国民の多くがテレビを観なくなるときになお、毎日観続けているコアなテレビ視聴者はたぶん「テレビしか観ない」んだと思います。新聞も読まないし、ネットも見ない。「テレビで誰々さんが言ったこと」をそのまま信じているという人たちが日本人全体の二割くらいはいるかもしれない。その層だけでは世論を形成するほどの力はないでしょうけれども、この人たちは投票率が高い層ですから、選挙結果にはかなりの影響を与えている。

岩田　先月の衆院選の結果からも、それは感じますね。

内田　大阪なんてコロナ対策には大失敗したわけですけれども、大阪のテレビしか観ない人たちは「知事のコロナ対策は大成功した」と信じている。

岩田　維新の会の躍進も、テレビが支えたと言われています。

内田　テレビは現実を過度に単純化することが問題だったわけですけれども、今ではテレビが現実とは違うことを報道している。

サイエンティフィック・マインドが欠けた学び

岩田　テレビだけではないと思います。僕の周りの医療関係者にも、特定のユーチューバー（ＹｏｕＴｕｂｅｒ）の言うことを頭から信じ込んでいる人がいます。「ナントカという食べ物が健康を促進する」「この飲み物が美容に効く」など、映像を伴って発信してくる情報を素直に信じてしまうんです。僕に言わせれば医学的に根拠がないし、そもそも何の医療教育も受けていない人の話なんて信じられるわけがないんですが、「人気がある」「フォロワー数がすごい」というだけで一から十まで追随してしまう。医学的教育を受けた人でもコロッと騙されるのを見ると、言葉を失ってしまいます。

内田　これはかなり根深い問題ですね。その人のポピュラリティと発言の信頼性の間には相関がないんですけれど。科学教育の問題ですか。

岩田　確かにそうですね。日本の学校教育では、教師が教壇から伝える「正解」をそのまま吸収できる生徒が優秀だと見なされます。「ほんとですか?」「なぜですか?」と疑ったり質問したりする子は、出来の悪い生徒なんです。

本来なら、逆であるべきです。あらゆる常識に対して懐疑的な姿勢を持ち、世の中で当たり前とされていることでさえも本質的には正しいのかと掘り下げる行為が学問の初手ですから。「サイエンティフィック・マインド」と言いますが、事実を「検証」することが学びには不可欠なんですね。ところが日本の教育現場は、教師が教え込む正解主義があいかわらず大手を振っている。優秀と言われる学生ほど、呑みこみが速くて素直なんですね。大学生でさえも、「正解を教えてください」「結局、何が正しいんですか」という受け身のスタンスで教えを待っている。

感染症領域で言えば、日本はまだまだこれからなので、間違った古い常識が「正解」とされ継承されていく懸念があります。若い世代にはもっと疑ってかかってほしいし、まったく異なる視点から事実を見極め前例を覆してほしい。忠実に責務をこなすばかりでなく、「岩田教授はそう言ってるけど、科学的にここが疑問です」と異論や批判を挟む人がいてこそ、医療のレベルは進歩するのです。

内田　同感です。僕も時事問題で講演することがありますが、最後に聴衆の方からの質疑応答になると、「内田さんはそう言われるけれど、じゃあ、私たちはこれからどうしたらいいんですか」とよく訊かれます。ほんとうに「正解」を求めて訊いている人もいますけれど、たいていは批判的なスタンスからのものです。「だから、あんたの言いたいことを一言で言ってくれよ」という要求に批評性があると思っている。そう問いかけられたほうが「一言」で答えられないと「勝った」という気分になるらしい。

この人たちはたぶんどんな問いにも一言で言い切れる「正解」があるべきだと信じているんでしょう。だから、「正解」を一言で言えない人間の話は聴くに値しないと思っている。逆に言えば、「ずばりこれが正解です」と言い切ってしまう人の話には無批判に耳を傾ける。だから、こういうことを言ってくる人って、懐疑的な人のように見えますけれど、そうじゃない。「問いには即答すべきだ」「一言で正解を言い切れることが知的であるということだ」と信じているだけなんです。こういう人が簡単に騙される。

岩田　一言で断言できちゃうタイプが、テレビの人気コメンテーターだしユーチューバーなんでしょう。悲観論でも楽観論でもどちらでもいいから断言してほしい。大多数のそんなニーズがあるんだと思います。例えば僕が「第五波はなぜ急に収まったんですか?」とか、「オミクロン株はこれからどうなるんですか?」と訊ねられたら、解明できない側面がいくつもあることを前提にした答え方になります。ツイッターなどでよく「岩田の言っていることは結局よくわからない」と批判されますが、わからないことに

2021年11月29日、東京・渋谷の大型ビジョンを流れる新型コロナウイルスの変異株「オミクロン株」の文字ニュース。

ついては断言すべきではないというのが僕のスタンスです。

内田　この対談シリーズの初回でも、「急激な収束の理由はわからない」と岩田先生は言われましたね。

岩田　急速に減る理由は「仮説」としていくつかは出せるんです。そして、「これは違う」と除外できる「間違った仮説」も容易に指摘できます。が、「これこそが原因」と断定できるものはなかなかない。一般に科学の世界において「これが正しい」と断言できるものは、ほとんどないんです。仮にそれが「かなり、正しい、可能性が、高い」と思っていても、信じていても、数十年後にそれが間違いとわかることも珍しくはありません。

ただ、断定はできないものの、**「自分の欲望に仮説を寄り添わせてはならない」というのは大事な態度**です。多くの人が自分のあからさまな、あるいは隠れた欲望を持っていて、その欲望を満足させるような意見を「科学的な正しさ」という意匠をまとわせようというややこしい議論を展開し、それを「理路」と勘違いしています。自分のあからさまな、あるいは隠れた欲望に自覚的でいるのはとても大事で、その欲望にむしろ抗ってデータを解析しなければならない。

専門家でも「早くコロナが収まってほしい」という欲望を持っている人もいるし、もしかしたら「コロナで大騒ぎしてる間に、俺様のプロとしてのプレゼンスを高めたい、出世の道具にしたい、有名になりたい」という欲望、野望を持っている人もいるかもしれません（自分ではそうと認めないでしょうが）。前者が出しがちな、「コロナは風邪みたいなもの」という正常性バイアスや事なかれ主義な態度もよくないし、「コロナで人類が滅びる」「第X波で何人死ぬ！」みたいな扇動的な態度もよくないです。かといって、そうした論調にクールに斜め上な批評を加え、茶々を入れ、冷笑的な態度でかっこよく振る舞いたい、という欲望も、同様に欲望ベースの態度なのでよくありません。

「コロナなんて風邪みたいなものだから、何にもしなくていい」という考え方が多くの支持を得るのもわかります。本当にそうなら、そのほうがいいに決まってる。僕自身は、自分の生活が落ち着いていてほしいし、私生活のあれやこれやも楽しみたいです。端的に申し上げれば、サッカー・スタジアムで大声を上げ、ちゃんと歌って応援したい、と強く思います。コロナなんてどうでもよい、日常生活を普通に送ればいいよ、と言えるものなら言いたい。ついでに言えば、感染症をネタに出世の道具に使うとか、有名になる道具に使うとか、そんな欲望は僕のなかではけっこう、希薄なのです。そういう欲望が強ければクルーズ船でも官僚や政治家に忖度して、彼らをヨイショしていたでしょうし、自分が観ないバラエティなどのテレビ出演の依頼も全部お受けしていたでしょう。

いずれにしても、残念ながらコロナは風邪みたいなものではありません。クルーズ船の感染対策は間違っていました。それはデータを見れば明らかなので、それがたとえ僕の欲望に反していても、仕方のないことなのです。専門家もそうでない人も、まずは自分のコロナに対する態度、隠れた欲望に自覚的になることが大事だと思いますね。

非専門家だからこそできること

内田　感染症の専門家としての岩田先生のスタンスはよく理解できます。一方で僕は「素人の立場」です。素人だからこそ言えることってあると思うんです。専門家は責任があるから言い切れないけれども、素人は「僕は素人です。だから僕の話は真実含有率が低いです」とお断りをしておけば、割と好きなことが言える。それが素人の特権だと思うんです。信頼性はないにしても、そういう発言が「そういう見方もあるのか」という気づきをもたらすこともたまにはないわけじゃない。

だから、僕はよく「予言」をするんです。専門家は学術的厳密性を重んじますから、軽々には未来予測をしませんけれど、僕は素人だから遠慮なく予言をする。それこそ素人が引き受けるべき役割じゃないかと思うんです。どんな予言をしても、遠くない未来に現実によって予言の正否の判断が下されるわけですから、間違った予言をしても「被害」は長くは続きません。

岩田　そうですね、当たるか、外れるか。現実が予言を裁断してくれます。

内田　予測をしておくと、「ほんとに内田の言う通りのことが起きるかどうか」という関心を掻き立てることができる。「外れたら、笑ってやろう」と思ってくれていいんです。それでも僕が立てた仮説に注意を向けて、その正否を吟味しようという気持ちを持って現実を観察してくれれば、それで僕としては十分なんです。僕の予言が当たったか外れたか知るためには、けっこう手広くかつこまめにニュースを追っていないといけないですからね。

僕はどんな分野でも素人であるということを公言していますから、僕が予言したことが外れても、「お前の予言を信じて、えらい目に遭った」という人はいないはずなんです。東京オリンピックについても「途中で中止になる」という予言をしましたが、外れました。でも、僕の予言が外れたせいで実害をこうむった人はたぶん日本に一人もいないと思います。それよりは、「なぜ中止になる可能性のあったイベントが強行されたのか?」という問いが前景化されたとしたら、僕はそれでいいんです。

岩田　実際には、コロナについてすべてを専門的に理解できる人は存在しないので、「非専門家」の見解も大事だと思います。僕はコロナがもたらす医学的な影響についてはかなり正しく申し上げることができますが、コロナ禍による経済的な問題や文化的な影響には専門家としてはコメントできませんし、していません。するとすれば、「非専門家」としてのコメントとなるでしょう。

専門家とは、専門領域のフレームが見えている人。要するに、「ここまではわかっている、この先はまだわからない」という境界線がちゃんと見えている人がプロなんです。「わかる」のが専門家ではない。むしろ「わからない」のが専門家。ややこしい言い方になりますが、わからない領域があるのをわかっているのが専門家であり、それを意識させ、気づかせてくれるのが非専門家なんです。

例えば、「ワクチンが有効であるかどうか」「ワクチンは安全かどうか」については僕の専門領域で議論できます。そうではなく、「高齢の親が『絶対にワクチンを打ちたくない』と言っています。どうすればいいでしょうか」のような課題には、おいそれとは答えられない。価値観や倫理観が入り込む領域は、感染症学の守備領域ではないからです。ヴィトゲンシュタイン的に言えば、「語りうることと語りえないことの線引きをする」のが大事だといつも考えています。もし、「絶対に打ちたくない」と主張する人に、「あなたは間違っている。ワクチンは打たねばならない」と論破しようとする「専門家」がいたとしたら、それは自分の守備範囲の境界線をうまく理解できていない、「自称」専門家、感染症の知識をたくさん集めている「物知り」に過ぎないのだと思っています。そういう人は、多いですけどね。

内田　今の岩田先生がおっしゃったことはきわめて本質的なことだと思います。**知性の本来の働きは「自分は何を知らないのか」を精密かつ網羅的に記述できること**だからです。

　僕の書斎はご覧の通り、天井まで本棚です。来た人がよく訊くのは「いったい何冊ぐらいあるんですか?」と「これ、全部、読んだんですか?」です（笑）。全部なんか読んでるわけないじゃないですか。本棚に並んでいる本のせいぜい二割くらいしか読んでない。あとの八割は「いつか読みたい本」「いつか読まなければならない本」です。にもかかわらず、いまだ読むに至ってない。今の自分の年齢を勘定に入れると、たぶん書斎にある書物のほとんどを僕は読まずに死ぬことになる。数千冊の「死ぬまで読まない本」に囲まれて暮らしているわけです。それなのに、今も本を買い込んでいる。読まない本だけが増え続けてゆく。何のために「読まない本」はここに並んでいて、僕は毎日それを見上げて暮らしているのかというと、自分の無知を可視化するためです。

岩田　ああ、なるほど。とてもよく理解できました。

求められるインセンティブと引き算思考

内田　非専門家の予言をすれば、日本が避けて通れない今後の課題は「人口減」です。確実に、マンパワーが減っていく。昭和から続いた人口増が頂点を迎え、これから減少へと転じます。にもかかわらず、国も企業も「マンパワーありき」の考え方から脱け出せていません。コロナ対策の保健所の疲労困憊にしても、「そもそも人員が足りない」のに気づけない。人海戦術はもう、通用しないのです。

岩田　特に、政府の感染対策はマンパワーの使い方がヘタ過ぎます。例えば、濃厚接触者への対応。現在、コロナウイルスの濃厚接触者は自宅待機が基本です。宿泊施設に集めるといっても強制力がないので、自宅での自主隔離になる。そこへ二日に一回の頻度で保健所の担当者が訪問してPCR検査をするんです。その往復時間だけでも相当な負担なので、今後感染が広がったら対応しきれなくなると思います。

僕に言わせれば、こうした訪問PCR検査は意味がない。感染を防ぐ手立てではないからです。検査と検査の合間に発症する場合もあれば、検査が陰性でも感染している人もいます。ハッキリ言って、コロナ対策を「ヤッテル感」のために人員を割いている気がします。ただでさえ仕事が増えている保健所のスタッフに、ますます責務を課す愚策です。

内田　政策決定者たちが、人間はいくらでもいる。いくらでも替えが利くと信じ込んでいるんでしょう。でも、それは人口が増加し続けている社会でしか通じない話なんです。そして、資本主義というのは「人間は増え続けるので、いくらでも替えが利く」という人口動態を前提にしてはじめて成立する制度です。だから、当然ながら「人口減局面での資本主義」というのを人類は経験したことがない。それがどんなものだか想像がつかない。だから、「人口減」というファクターを勘定に入れて制度設計することができない。

岩田　医療や教育など公共的なセクターにも、資本主義が入り込んでいるんですね。

内田　そうです。でも、公共的なセクターに資本主義が入り込んできたのは、もうそこしか収奪できる領域がなくなってきたからなんです。人口減ではマンパワーが減るだけではなく、マーケットが縮減しますから、これまでのような商品サービスの売り買いだけでは、資本主義が回らない。だから、**教育や医療や行政のような「それなしでは人間が集団的に生きてゆけないセクター」に手を突っ込んできて、そこで金儲けをしようとしているんです。**

本来、資本主義というのは、「人口過密」の地域と「人口過疎」の地域を作為的に作り出して、その水位差を利用して機能するシステムなんです。マルクスが『資本論』で分析した「囲い込み（enclosure）」というのは、そのことです。初回の対談でもしましたが、もう少し詳しく話しますね。

英国では、16世紀から19世紀にかけて、コモン（共有地）が私有地化されて、村落共同体が解体し、農地は牧羊地に転用されました。農業はかなりのマンパワーを必要としますけれど、牧羊は人手が要らない。だから、必然的に牧羊地は過疎になり、農地を失った人たちは故郷を追われて集住する。そうやって英国では過疎と過密が人為的に作り出された。これがマルクスの言う「資本の原初的蓄積」です。資本家というのは、別に何か価値のあるものを作り出した人であるのではなくて、ただそこそこ豊かに平和に暮らしていた農夫たちの生業を奪って、「お前たちはあっちへ行って狭いところに固まって暮らせ」と追い出しただけなんです。過密地に集められた労働者たちはみな必死に仕事を探しますから、資本家たちは「お前の替えはいくらでもいるんだ」と言っていくらでも雇用条件を切り下げることができる。

資本主義にとって「人間の替えはいくらでもある」状態を作ることは死活的に重要なんです。だから、ここで話が倒錯的になるんですけれども、資本主義社会では「人間の替えはいくらでもある」ということをみんなが信じているんです。「人間の替えはいくらでもある」という状態を作り出すことから資本主義が始まったので、「人間の替えがない」という事態はあってはならない。だから、人口減がこれだけ進行しても、相変わらず「人間の替えはいくらでもある」ことを自明の前提にした制度設計がなされている。

岩田 引き算ができないんですよね。

内田 そうです。でも、「引き算をする」ためには業務量に対してマンパワーが足りないということを認めなければならない。でも、「人が足りない」ということは資本主義社会では禁句なんです。言ってはいけない言葉、認めてはいけない事態なんです。だから、実際に人手が足りないにもかかわらず、まるで「いくらでも人間の替えはいる」かのように思考し、ふるまうことを制度的に強制されている。

人間は足りないんです。だから、少ない人手でなんとか仕事をこなすしかない。そのためには原理的には「無駄な仕事を減らす」ことと「働くインセンティブを高める」ことの二つしかできることがない。マンパワーが限られている状況でどうやって一人ひとりのパフォーマンスを上げるか。限界を超えてオーバーアチーブしてもらうためには、どのようなインセンティブが必要か。それを真剣に考えるべきなんです。でも、現実にはまったくそれとは逆のことをしている。働くインセンティブを高める代わりに、「働かないと処罰する」と脅しているんですから。馬を走らせるためには「人参」と「鞭」を使い分けるわけですけれど、今の日本の組織管理者たちは「鞭」しか使わない。そんなペナルティ思考からは何も生まれません。それよりも、一人ひとりが自分の限界を超えて仕事に臨んでくれるように、「社会的にとても意義のあることをあなたはしています」と告げるべきなんです。

岩田　医療セクターの人間として言いますと、「患者さんが元気になること」が最高のインセンティブです。これがかなりのやり甲斐でして、医者も看護師もそのためなら歯

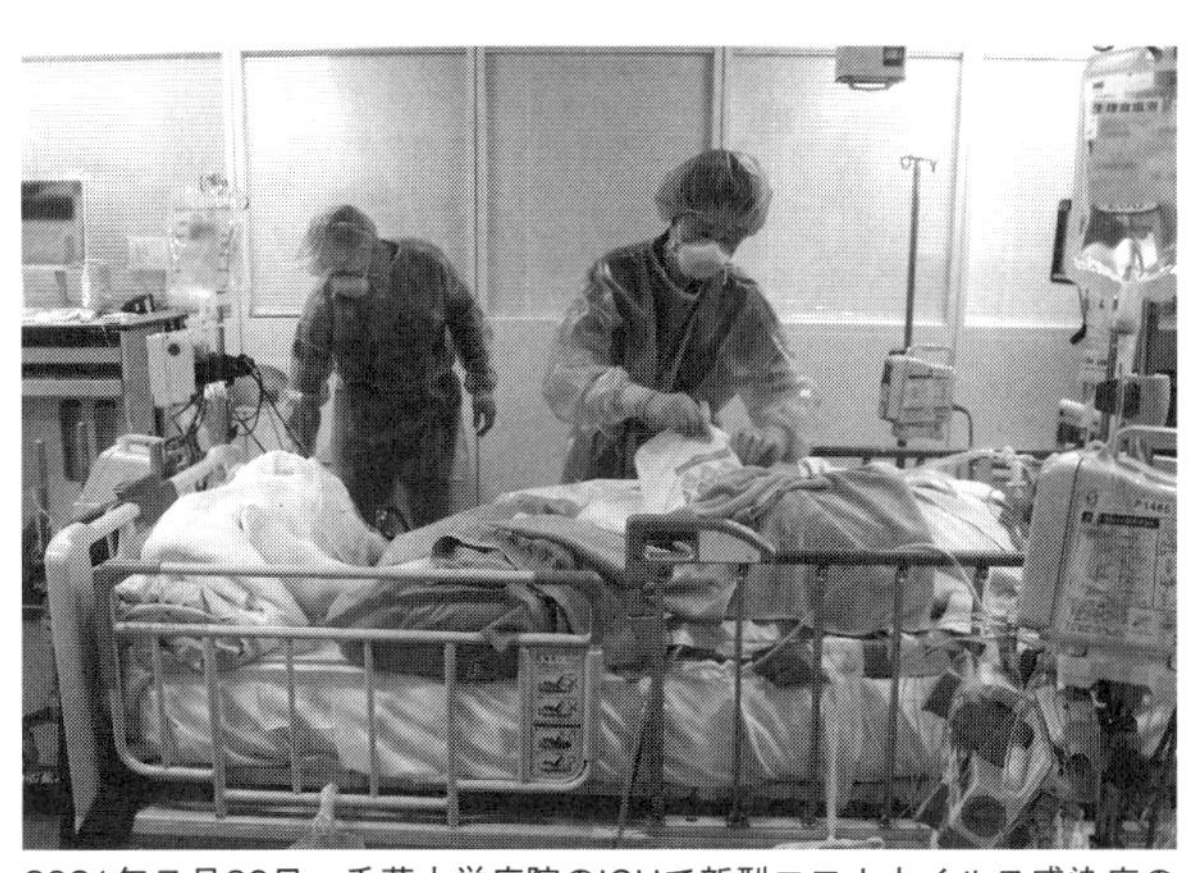

2021年７月30日、千葉大学病院のICUで新型コロナウイルス感染症の患者に対応する看護師や臨床工学技士。

を食いしばって頑張れますよ。目の前で苦しんでいた人が快方へ向かうのを見ると、本当に嬉しいんです。例えば、呼吸ができないほどの重症の患者さんがＩＣＵ（集中治療室）に入ってきます。あれやこれやの治療を経て、最終的に五〜六週間後に快復される。闘病の果ての快癒の達成感は、言葉では言い尽くせない喜びがあります。自分でも想像を超えるパワーを現場では出せているんだと思います。

それに対して今、「オミクロン株に感染したら全員入院」というのが政府方針ですが、見直してほしいんです。無症状であれ

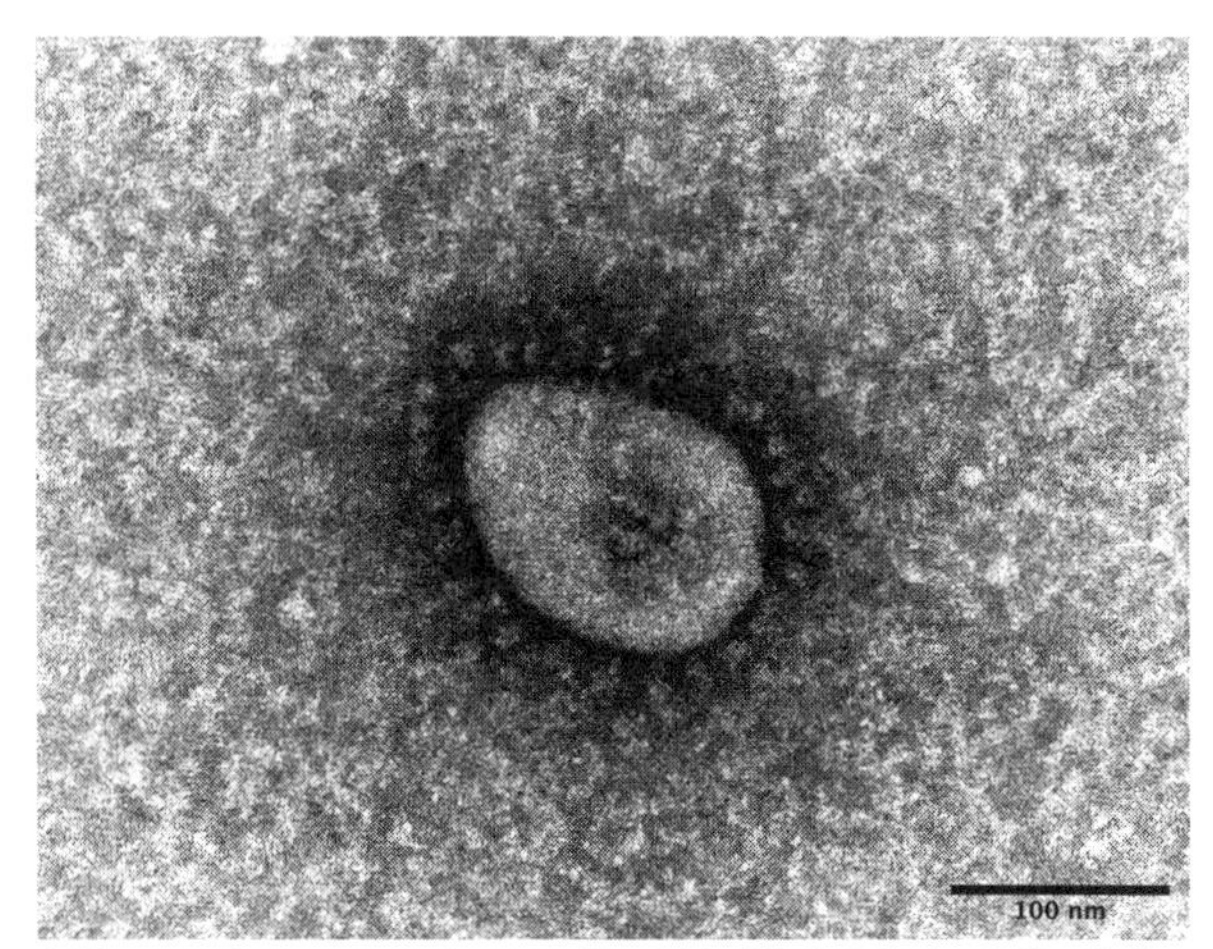

新型コロナウイルスのオミクロン株。国立感染症研究所で分離に成功した電子顕微鏡写真。（国立感染症研究所提供）

軽症であれ入院義務が課されてしまうと、医療現場はヒューマンリソースが逼迫するだけでなく、気持ちだって萎えるんです。「なんで入院しなければいけないんだ？」とか「早く退院させてくれよ」といったクレームに直に対応していると、自分の仕事の理不尽ささえ感じます。その方の気持ちがわかりますから。

医療というのは「医療を提供する場」なので、治療の必要がない人は入院させるべきではありません。厚労省は、隔離の必要性と治療の必要性を混同しているんです。隔離と治療は、必ずしも同一ではありません。「入院するかしないか」は、現場判断にするべきだというのが僕の考えです。

内田　現場の治療関係者にとっては、軽症者のクレーム対応のほうが、重症者の治療よりしんどいわけですね。

岩田　そうなんです。身体的にも、心理的にも。

この世は不条理なものである

内田　岩田先生のお話を聞いていると、やっぱりアルベール・カミュの『ペスト』を想起させられます。コロナ下において示唆深いことが、この小説にはいくつもあるんです。パヌルーという神父が出てきます。彼の考え方は、今で言うところの反ワクチン主義者に近いんです。つまり、人間がペストに罹って、死ぬのは偶然ではなくて、その背後には人智を超えた摂理が働いていると言うんです。パヌルー神父は、「疫病は神が下した懲罰である」と説きます。信仰が足りないからペストに罹る。自分が信仰心が篤いと思っていても、ペストに罹る。信仰が足りないから。そういうふうに考えると、一見ランダムに見えるペストの拡大にもある種の法則性があることになる。

この世にランダムに起きることはない。すべてはある法則に従っていると信じたがるのは人間の本性なんです。事実、宗教も科学も、ランダムに見える事象の背後には美しくシンプルな数理的秩序が存在するという直感に基づいている。ですから、パヌルー神父のペスト懲罰説を論破するのは、けっこう難しいんですね。武道家にも同じような考え方をする人がいますし。

岩田 え！　そうなんですか。

内田 武道の世界には反ワクチン派は多いと思います。生きる力は修行によって獲得するものであって、化学的に合成した薬剤で病が治癒したり延命するのはおかしいという考え方をする人は武道家には多いんです。

岩田 多いですね。医者の世界でも、一部で漢方やスピリチャル、ホメオパシーとかに「ハマっている」人には強固な反ワクチン派がいます。あと、子宮頸がんなどを予防する

1947年6月、『ペスト』刊行時のアルベール・カミュ、自宅にて。
(Bridgeman Images/時事通信フォト)

HPVワクチンでは一部のキリスト教徒の医者が強固な反ワクチン派で難渋しました。歴史的に、キリスト教は「性」については非常に抑制的で、性に関わるツールにとても否定的な見解を示す人がいるのです。

内田　岩田先生は、わからないことは「わからない」とはっきり言われますよね。しかしパヌルー神父は宇宙にはある種の摂理があるので、ペストのふるまいは「理解可能だ」と考える。今の日本でコロナウイルスを擬人化して語る人もそうですね。

コロナウイルスをマンガのように図像化する人もたぶんそうだと思う。「わからないもの」を相手にしたくないんだと思います。

岩田　ウイルスに条理はありません。極めてランダムに動く不条理な存在です。

内田　でも、ウイルスのふるまいには「条理がない」という事実そのものを受け止めることが難しい。何とか解釈して、そこから有用な「教訓」を引き出したがる習慣から、なかなか脱け出せない。

岩田　感染症をはじめこの世の多くのことは不条理ですよね。生命を研究すると、そのことが骨身に染みてわかります。**患者さんの治療を続けながら、「世の中とはメッチャ不条理なんだ」という一種の諦念に日増しに支えられている**のを感じるんです。そもそも感染症の流行自体や患者さんそれぞれのふるまいが非常にストカスティック（確率的な）ですからね。ある地域では大流行し、別の地域では流行しない、「なぜか」流行が収束したり、あるいは収束しなかったりする。ある患者は無症状のままでも、別の患者は重症化し、あるいは死亡する。長期の慢性症状を出す人もいれば、そうでない人もいる。ワクチンが効く人もいれば、副作用に苦しむ人もいる。そこにはある「確率」があり「傾向」もあるのですが、しかし個々の流行、個々の患者レベルで言えば、起こっていることはランダムです。善人だと重症化しないとか、そういう「摂理」はありません。

感染症で言えば、1980年代にエイズ（後天性免疫不全症候群）が「死の病」として世界中の人々を恐怖に陥(おとし)れました。当時も「エイズという病気は、同性愛者に対する神の罰だ」という言説があったんです。でも実際には、同性愛者同士の一回の性行為がもたらす感染は、1％かそれ未満の確率でした。もしもエイズが「同性愛者に対する罰」だったら百発百中で感染しなくてはならないはずです。それに異性愛者でも、エイズは発症します。つまり感染症に摂理なんて何もない。発症したら医者と患者で懸命に治療する。それがすべてです。実際、研究が進んだ現在では、エイズは克服可能な病気であり、世界の年間死亡者もゼロに近づいています。

内田　そうなんですか。その事実は、希望を与えてくれますね。

ハードボイルドという寛容さ

岩田　何をもって克服とするかには議論の余地がありますが、少なくともエイズで死ぬ人は今後ほぼいなくなるでしょう。エイズが「死の病」だった三十年前を考えると隔世の感があります。最初は感染経路も不明だったので、診療する側も「自分に伝染るんじゃないか」とビクビクしていましたし、薬を飲んでも副作用が出るし、患者には「ちっとも治らない」と罵倒されるしで、さんざんでしたから。薬と副作用を巡る壮絶な闘いは、映画『ダラス・バイヤーズクラブ』(2013年)などでも描かれましたが、言い尽くせない蓄積の果てに今があるわけです。

僕ら医者は皆、往生際が悪いんだと思いますよ。諦めない。「もう、や〜めた！」とならずにジリジリ続けて薬や治療法を見つけていく。コロナもまだ着地点には至りません。しかもどんな着地をするのか予見もできませんが、必ずそれは訪れます。

内田　「往生際が悪い」という言い方はいいなあ。

岩田　昔からコロナのような感染症が起こるたびに、人間は何とかして克服してきたわけで、「神が決めたんだから仕方ない」とか言って諦めちゃったら、人類史が終わってしまう。「感染症はランダムなもの」という乾いた観念を持っているので、諦めないでいられるのかもしれません。

内田　ハードボイルドですね（笑）。

岩田　そうです、ハードボイルドです（笑）。コロナ禍のようなことが突然起こる**不条理な世界で生きていくには、粘り強さというか、殴られてもめげずに立ち上がる根性のような、ある種のハードボイルドな生き方が必要**だと思うんです。患者さんに対しても、何かの因果でその人が罹患したとは思いません。健康な人が急に病人になっても、それも少しも不思議じゃない。常にそう思っています。それもハードボイルド感覚なんですね。

　よくあの種の小説にありますよね、ヒーローやヒロインが突然バーンと撃たれちゃうとか。それでもストーリーは淡々と進んでいく。「世の中ってそういうもの」と受け入れて進むあのひんやりとした感覚が僕は割と好きなんですが、感染症のプロにはそういう人がけっこう多いんじゃないかな。

内田　「不条理論」ですね。コロナを巡る言説は大きく分けると「条理論」と「不条理論」になりますが、岩田先生は「不条理の人」なんですね。

岩田　そうですね、不条理側の人間です。

内田　原理原則なんてものを求めない。ウイルスに内的論理などないのだから。でも、それこそが不条理な世界に対する適切な対応だと僕は思います。世界が不条理であることを受け入れて、しかしそれでも限定的にではあれできることがあると考えて対処する。

岩田　実際、感染症のエピデミックとかパンデミックは人類史上何度も起きているわけです。神の懲罰だとか、宇宙の摂理ではありません。「日本がコロナ感染を抑えられているのは、何らかの『ファクターX』があるからだ」という議論も何度かありましたが、結局何も証明されていない。言うなれば、「世界には法則がある」として解き明かすのも科学性ですが、「世界はランダムで予測できない」というのも科学的な見地なんです。

量子力学では、ミクロにおける原子や電子の場所は確率でしか示せず、「絶対にそこに在る」とは断定できない、と考えるそうです。同様に、（アナロジーとしては不適切かもしれませんが）コロナのような感染症も不確かな現象であること。それを共通認識にすれば、私たち日本人もより寛容的な方向へ変わるのではないかと思います。

スキームを切り替えながら生きる

内田 おや、階下の小鼓（こつづみ）の音がけっこう響いてきますね。今日は凱風館で、小鼓の稽古をしているんですよ。

岩田 小鼓や大鼓の音っていいですよね。最近ずっと、能楽の大鼓を習いたいと秘かに思っているんです。

内田 おお、そうですか。それなら定年退職される10年ぐらい前から始めるのをお勧めします。

岩田 へぇ、なぜですか？

内田　より深く楽しめるんです。「定年退職後に能楽をやりたいんですが」という相談をよく受けますが、その度に「定年退職後に楽しく続けるためには、四十代から始めたほうがいいですよ、ちょっと無理してでも」とお応えしています。四十代は仕事や家庭で忙しい盛りですけど、それでも早めに始めておいたほうがいい。六十五になって両手の荷物を降ろしてから始めるより、片手だけでもいいから少しずつ始めておくほうが、六十代で味わえる楽しみの深さが違ってきます。

岩田　そうですか。能楽の舞台は昔から好きなんです。シテの動きも見ていて楽しいですし、特に大鼓の「カーン」という不協和な音がいいなぁと。小鼓と大鼓の音の掛け合いも面白い。

内田　それにしても「大皮（大鼓）をやりたい」という人に初めて会いました。ぜひやってくださいよ。いい先生が知り合いにいますので、声をかけておきます。

岩田　嬉しいです。僕は何一つ楽器ができないんですね。コロナ下で独りの時間が増えて、ギターやピアノを始めた人も多いようですし。

内田　芸事はいいですよ。何歳から始めても、上達する楽しさを味わえますから。

岩田　あ！　すごくそれ、同感です。いくつになっても必ず上達すること、それを僕も実感しています。感染症に関する医学知識も日々アップデートされるので学び続けていますし、昔からサッカーが好きなんですが、この二、三年本腰を入れて練習するようになりました。驚くことに、この齢になっても、まだまだ上達するんですよ。

内田　どのあたりで？

岩田　えーと、サッカーという競技自体をより理解できるようになった気がします。身体能力は衰えていますが、身体の向きの重要性などに気づけるようになりました。例えば、敵を背にしてボールを受けるときに身体をどんな向きにするか。若いときはただがむしゃらに走って蹴るだけだったのに、今ではそんなことにも考えが及ぶんです。面白いですよ。サッカー競技そのものもどんどん進化していますし、僕も一人のサッカー愛好家として共に進歩できるのが楽しいんですね（もちろん、ベースラインが低いし、進歩の「幅」も狭いので、「進歩した」という主観は他人から見たら「ほとんど動いてない」ようにしか見えてないような気もしますが……）。サッカーをする時間は、すべてを忘れて没頭します。

内田 仕事も趣味も、同レベルで没頭できるのは理想的ですね。必要な時間を働き、それ以外は別のことに集中する。まったく異なる領域に自分を没入させるには、「スキームの切り替え」をしないといけない。**コロナ後の世界を生きていく上では「スキームの切り替え」が重要になる**んじゃないでしょうか。前例や過去の成功体験にこだわらずに、思考や発想、動作や表情など自分にまつわるすべてをそのつど切り替えられるようにする。時と場に応じて「別人になる」と言っていいかもしれません。

岩田 自分に対して客観的になる、ということですね。

内田 そうです。僕の場合は、ふだんの生活では現代日本人としての因習的な身体運用をしているわけですけれども、武道や能楽の稽古のときは、前近代の日本人の身体運用に切り替える。身体運用のスキームを切り替えると、動き方も、呼吸法も、発声法も、思考法も変わる。ふだんの生活が「現代語」だとすると、「古語」を使って話すみたいなものです。現代語と古語のバイリンガルであるようなものです。今、岩田先生が言われた「自分に対して客観的になる」というのは、自分は現代語でも自分を語れるし、古語でも、場合によっては英語でもフランス語でも自分を語ることができるということだと思うんです。そこで表現される「自分」はそのつどかなり違う。そういう仕方で複数の視点から自分自身を立体視することができる。それが武道や能楽を稽古することの効用だと思います。

必ずしも、身体を動かすことだけではないです。例えば、小説を読むのも僕は「スキームの切り替え」だと思います。小説って、読み始めた瞬間に、「ここではない国の、ここではない時代の、今ここにいない人の主観に入り込む」わけじゃないですか。だから、小説をたくさん読んだ人は、いろいろなタイプの主観を生きたことになる。いろいろな他者の人生を想像的に追体験したことになる。例えば、僕は小さい頃、『若草物語』とか『あしながおじさん』とか、少女が主人公の小説が大好きでしたけれど、あの読書は「想像的に少女になる」経験ですからね。自分が居着いている状態から離脱して、別の視点から世界を眺められるというのは豊かな経験だと思いますよ。
小説を読むのも、外国語を習うのも、「居着きを去る」ための方法としては有効だと思うな。

不条理を生きる道標

岩田 あ〜、わかります。自分を変えられるんですよね。僕は語学も趣味なんです。語学って不思議なもので、その国の言葉に合わせて自分の人格を変えたりもできちゃう。俳優のクリストフ・ヴァルツのようなマルチリンガルになりたくて（笑）、ポッドキャストでNHKのラジオ講座スペイン語、フランス語、イタリア語、ドイツ語、中国語、ロシア語を聴いています。英語は錆びつかないように、BBCやウォール・ストリート・ジャーナルのポッドキャストが専らです。

内田 すごいな、マルチどころじゃない（笑）。

岩田 聞き流しているだけなので上達してるかどうか。スペイン語はようやくDELE

という認証試験の「B1（ベー・ウーノ）」に合格しました。フランス語は数年前に準二級に受かりましたが、放ったらかし。ですから超ロングペースで、マルチリンガルを目指しています。若い頃は、「50歳までにマルチリンガル」が目標でしたが、そうこうしているうちに気づけば50になってしまいました。このペースだと60過ぎてもマルチリンガルには程遠いでしょうね……。

内田　僕も外国語を勉強するのは好きなんです。才能ないんですけど。大学卒業してから二年間は無職でしたけれど、その間もずっと翻訳のバイトをしてましたし、27歳で起業したのも今にして思えば翻訳会社でした。きっと根っから翻訳という仕事が好きなんですね。意味のわからない外国語のテクストに必死になって食らいついて、なんとか意味のわかる日本語に落とし込んでゆくという仕事がものすごく面白かった。

これも一種の「モードの切り替え」だと思うんです。翻訳という作業は、外国語を自分のほうに引き寄せるんじゃダメなんです。**むしろ自分を変えてゆく**。日本語に対応するものがない言葉を取り込むためには、自分の言語の容量を広げて、語彙を増やして、自分の日本語のリズムや息継ぎを変えてゆかないと対応できないんです。結局「自分を変える」のが昔から好きなんですね。

岩田　それに加えて著者の経験を追体験できるのが、翻訳の醍醐味ですよね。僕も今、翻訳作業をしています。西アフリカのシエラレオネでエボラの治療にあたっていたポール・ファーマーという医師の本です。彼は天才的な医師で、且つ医療人類学者です。シエラレオネの歴史や風土について、あらゆる著作物を徹底的に読み込んでいる。その上で、「なぜ、アフリカで医療資源が不足しているのか」「なぜ、住民が科学的な医療が受けられないのか」「そもそも貧困はなぜ起こるのか」といった根源的な問いに切り込んでいます。そんな彼の視点でエボラを考察できるので、さまざまな事象と感染症が必然的につながっていることがわかるのです。

内田　文学も同じですね。優れた小説は単体では存在しないんです。その作品に先行して、それを生み出す土壌を形成した無数の物語が存在するし、その作品をめぐって語られる批評の言葉があり、その作品を模倣したり、それに反発したりしてまた無数の作品が生まれる。一つの作品の周りに眷属(けんぞく)のようにさまざまなテクストが網の目のように張り巡らされる。そういうもの全部を含めて作品はあるわけですから、「本を読む」という行為のどこが始まりでどこが終わりなのかわからない。

岩田　本当にその通りです。先日、谷崎潤一郎の『春琴抄』を読み返したんですが、小説にとって粗筋を知ってるかどうかなんてまったく意味を成さないことがよくわかります。目からも耳からも痛覚からもあらゆる五感からあの物語は入り込んでくる。

内田　優れた文学作品には読み筋がたくさんあるんです。この層でも読めるし、別の層でも読める。読みを導く手がかりがあちこちに散らばっていて、読者一人ひとりの解釈に開かれている。一つの形容詞から、一つの間投詞から、いきなり深い鉱脈に入り込むことだってある。だから、粗筋がどうだなんて、小説を語る上では意味がありません。

岩田　自分がそれをどう読むかは、読んでみなけりゃわからない。答えがないから読むしかない。不条理を生きる道標がここにもありましたね。

おわりに

こんにちは。内田樹です。

最後までお読みくださって、ありがとうございます。

岩田健太郎先生との対談本、朝日新書から二冊目を出すことになりました。感染症の専門家の立場から、新型コロナウイルスのパンデミックについて正確で豊かな知見をご教示くださったことにまず岩田先生に深く感謝申し上げたいと思います。


コロナ・パンデミックは僕たちにとって何を意味する出来事であるのかを「解釈」するという作業はできるだけ多くの立場の人が、できるだけ多様な視点から行う方がいいと僕は考えています。その方が起きている出来事を「立体視」できますから。この本はそのような「多様な視点」を提示するための一つの試みです。僕はそう考えています。決して単一の「正解」を提示しようとするものではありません。そのことを最初にお断りしておきたいと思います。

本書における岩田先生の立場は、この本の中でも触れられていますけれど、アルベール・カミュの『ペスト』の語り手医師リウーの「ペストに立ち向かう姿勢」と近いものだと思いました。

『ペスト』では、感染初期、オランの街では患者は次々に出ているのですが、診断が確定しません。ペストだと公的に宣告すると、街はロックダウンされ、生活が一変する。その重大な決断を前に行政官たちは逡巡して、宣告を先延ばしにします。医師たちが集まった専門家会議の席でリウーは行政官の優柔不断を非として、早急な防疫体制の整備を訴えます。他の医師が「では、君はこれがペストだと考えているのか？」と問いかけます。それに対してリウーは「問題の立て方が違っている」と応じます。「これは名前の問題ではなく、時間の問題なのだ」。僕はこれが医療の本質を衝いた言葉だということに、今回のパンデミックを経験するまで気づきませんでした。

それがどういう病気であるかが確定していなくても、感染症である限り、罹患するもの、死ぬものを減らすために経験的に有効な方法は存在します。だとしたら、病気の名前を確定するより「先に」防疫対策を講じるべきだ。リウーはそう言います。まことに実践的です。多くの場合、ことは原理の問題ではなく、程度の問題だということです。原理の当否を論じている間に人が死ぬこともある。そういう場合は、ことの当否は棚上げしても、とりあえずできることをする。

事実、カミュはあるインタビューの中で、自分の仕事についてこう語っています。「私は理性を信じません。ですからシステムも信じません。私が興味を持っているのは、どうふるまうべきかです。神も理性も信じることができないときに、人はどのようにふるまうことができるのか、私はそれが知りたいのです。」(Albert Camus, 'Interview à Servir', in *Essais*, Gallimard, 1965, p.1427)

神や理性の「保証」がなくても、人間にはその場において適切なふるまいを選択することはできます。絶対的な正しさは選べなくても、限定的・計量的な「正しさ」を選ぶことはできる。

コロナについては、岩田先生も「それは名前の問題ではなく、時間の問題なのだ」という立場を最初から最後まで一貫してきたと思います。僕もこの立場をつよく支持するものです。ウイルスがほんとうは何ものであり、どういうふるまいをするのか「わからない」。それでも、経験的にわかること、実践的にできることはある。別に全知全能でなければ感染症に対応できないということはありません。限定的な知識、限定的な能力であっても、できることはある。あれば、それをする。

岩田先生はこの本の最後の方で「医者は往生際が悪いんです」と言われていましたけれど、これもまたみごとに医療の本質を言い当てた言葉だと思います。「薬石功なく」という状態になっても、最後の最後まで手元にある限りの医療資源を投じ続ける。そういうときに「どうせ死ぬんだから、無駄なことをするな」というのはたしかに「正論」

ですし、場合によっては合理的です。でも、人情としては受け入れ難い。この「往生際の悪さ」こそが実は医療者の真骨頂であり、実はその「往生際の悪さ」が累積して、それが医学の進化を推し進めてきたのだと思います。

この二年間で、パンデミックを奇貨として僕は岩田先生はじめ兪炳匡先生、仲野徹先生ら医学の専門家たちとコロナをめぐる対話の機会を得ることができました。その対話を通じて「医療とは何か」ということについて改めて根源的に思量する機会を与えられたことに諸先生方に深く感謝します。

最後になりましたが、本書成立のためにご尽力くださった朝日新聞出版の大場葉子さんと、話頭転々とした対談をひきしまった形にまとめてくださった大越裕さんのお骨折りにお礼申し上げます。いつもありがとうございます。おかげで本ができました。

2022年1月

内田　樹

内田　樹 うちだ・たつる

1950年、東京都生まれ。神戸女学院大学名誉教授、昭和大学理事。東京大学文学部仏文科卒業。東京都立大学大学院人文科学研究科博士課程中退。『私家版・ユダヤ文化論』(文春新書)で第６回小林秀雄賞、『日本辺境論』で第３回新書大賞、執筆活動全般について第３回伊丹十三賞を受賞。2011年に哲学と武道研究のための私塾「凱風館」を開設。その他の主著に、『ためらいの倫理学』(角川文庫)、『街場の憂国論』(文春文庫)、『街場の教育論』『街場の文体論』『街場の戦争論』『日本習合論』(以上、ミシマ社)、『コロナと生きる』(岩田健太郎氏と共著／朝日新書)、『コロナ後の世界』(文藝春秋)、『戦後民主主義に僕から一票』(SB新書)など多数。

岩田健太郎 いわた・けんたろう

1971年、島根県生まれ。神戸大学大学院医学研究科教授。島根医科大学(現・島根大学)卒業。沖縄県立中部病院、ニューヨーク市セントルークス・ルーズベルト病院の研修医を経て同市ベス・イスラエル・メディカルセンター感染医フェローとなる。2003年、北京インターナショナルSOSクリニックで勤務。04年に帰国し、千葉県の亀田総合病院を経て、08年より神戸大学。著書に、『ぼくが見つけたいじめを克服する方法――日本の空気、体質を変える』(光文社新書)、『新型コロナウイルスの真実』(ベスト新書)、『感染症は実在しない』(インターナショナル新書)、『コロナと生きる』(内田樹氏と共著／朝日新書)、『本質の感染症』(中外医学社)など多数。

朝日新書
856

リスクを生(い)きる

2022年 3 月30日 第 1 刷発行

著　者　内田　樹
　　　　岩田健太郎

発行者　三宮博信
カバーデザイン　アンスガー・フォルマー　田嶋佳子
印刷所　凸版印刷株式会社
発行所　朝日新聞出版
〒104-8011　東京都中央区築地 5-3-2
電話　03-5541-8832（編集）
　　　03-5540-7793（販売）

Published in Japan by Asahi Shimbun Publications Inc.
ISBN 978-4-02-295165-6
定価はカバーに表示してあります。
落丁・乱丁の場合は弊社業務部(電話03-5540-7800)へご連絡ください。
送料弊社負担にてお取り替えいたします。

朝日新書

不動産の未来
マイホーム大転換時代に備えよ

牧野知弘

不動産に地殻変動が起きている。高騰化の一方、コロナによって暮らし方、働き方が変わり、住まいの価値観が変容している。こうした今、都市や住宅の新しい価値創造は何かを捉えた上で、マイホームを選ぶことが重要だ。業界の重鎮が提言する。

全米トップ校が教える自己肯定感の育て方

星　友啓

学習や仕事の成果に大きく関与する「自己肯定感」は世界的にも注目されるファクターだ。本書は超名門スタンフォード大学オンラインハイスクールで校長を務める著者が、そのコンセプトからアプローチ、エクササイズまで、最先端の知見を凝縮してお届けする。

リスクを生きる

内田　樹
岩田健太郎

コロナ禍で変わったこと、変わらなかったこと、変わるべきことは何か。東京一極集中の弊害、空洞化する高等教育、査定といじめの相似構造、感染症が可視化したリスク社会を生きるすべを語る、哲学者と医者の知の対話。同著者『コロナと生きる』から待望の第2弾。

全面改訂　第3版
ほったらかし投資術

山崎　元
水瀬ケンイチ

これがほったらかし投資の公式本！　売れ続けてシリーズ累計10万部のベストセラーが7年ぶりに全面改訂！　おすすめのインデックスファンドが一新され、もっとシンプルに、もっと簡単に生まれ変わりました。ｉＤｅＣｏ、２０２４年開始の新ＮＩＳＡにも完全対応。